生活·认知·成长

青春励志故事

生活·认知·成长
青春励志故事

# 为了不被梦想纠缠

风尚卷

杨晓敏◎主编

地震出版社

**图书在版编目（CIP）数据**

为了不被梦想纠缠：风尚卷／杨晓敏主编．—北京：地震出版社，2012.5
（生活·认知·成长青春励志故事）
ISBN 978-7-5028-4044-0

Ⅰ.①为…　Ⅱ.①杨…　Ⅲ.①小小说－小说集－中国－当代
Ⅳ.①I247.8

中国版本图书馆CIP数据核字（2012）第051106号

**地震版　XM2685**

**为了不被梦想纠缠——风尚卷**
主　　编：杨晓敏
执行主编：马国兴　王彦艳
责任编辑：范静泊
责任校对：孔景宽　凌　樱

出版发行：地震出版社

北京民族学院南路9号　邮编：100081
发行部：68423031　68467993　传真：88421706
门市部：68467991　传真：68467991
总编室：68462709　68721982　传真：68455221
E-mail：seis@mailbox.rol.cn.net
http：//www.dzpress.com.cn

经销：全国各地新华书店
印刷：北京振兴源印务有限公司

版（印）次：2012年5月第一版　2012年5月第一次印刷
开本：710×1000　1/16
字数：207千字
印张：15
书号：ISBN 978-7-5028-4044-0/I（4721）
定价：28.00元

# 序

杨晓敏

好书是具有生命力的。一本好书，我们拿在手上，揣在兜里，或者放在枕边，会感觉到它和我们的心一起跳动。在日常的学习生活中，我们每天都在用最经济的时间、精力和财力，收获着超值的知识、学问和智慧，于是我们自己，就在一天天地充实厚重起来。

优秀的短篇小说，就是这样的好书。它是顺应现代人繁忙生活而发展成的一种篇幅短小的小说。跟一般小说一样重视场景、个人形象、人物心理、叙事节奏。优秀的作者可写出转折虽少却意境深远，或转折虽多却清新动人的作品。

现在，许多优秀的作者舒展超感的心灵触觉，用生花的妙笔，把小小说从文学神坛上牵引下来，在我们广大读者面前，展现出一幅幅五颜六色的生活画卷，或曲折离奇，或险象环生，或嬉笑怒骂，或幽默诙谐。于是，阅读一本小小说，就成了繁忙生活的轻松点缀，紧张学习的有效调剂，抹平了你我微皱的眉头，漾起了会心一笑的嘴角。

我们精心编选的这套“生活·认知·成长青春励志故事”小小说丛书，每一辑都包含了“悟性”“创意”“想象”“品味”“风尚”“情愫”六卷，并围绕这六个主题，选取当代国内知名作家的精品力作，各自汇编成书，具有强劲的文学感染力。篇篇都耐人寻味，本本都精挑细选，既是青少年认识社会的窗口、丰富阅历的捷径，又堪称写作素材的宝典。作品遴选在注重情节奇巧跌宕，阅读效果峰回路转、柳暗花明的同时，注重价值取向，旨在引导青少年全面、客观地认识社会，开阔视野和胸怀，提高综合素质，进而确立正确的人生观、价值观。

在这套书里，我们推荐给青少年读者的是充满活力的大众文化形态的小小说佳品荟萃。所选择的作品，尽量体现质朴单纯，而质朴不是粗硬，单纯不是单薄；体现简洁明朗，而简洁不是简单，明朗不是直白。它们是理性思维与艺术趣味的有机融合，是人类智慧结晶的灵光闪烁，是春风化雨滋润心灵的真情倾诉，是鲜活知识枝头的摇曳多姿，是青少年读者嗅得着的缕缕墨香。

知识没有界线，可以人类共享，只要是具有优良质地的文化产品，都能互补、渗透、影响和给人以启迪。任何一粒精壮的知识种子，播撒在人们的心灵深处，都会开出艳丽的花朵，结成高尚的果实。

青年出版家尚振山先生以极大的热情，独到的眼光，精心策划了这一套“生活·认知·成长青春励志故事”丛书，我和同仁马国兴先生、王彦艳女士应邀参与编纂，当然也愿意大力推荐给广大青少年朋友们。

2012年春

为了不被梦想纠缠

# contents 目录

# 未来·电影院

〇王　蒙

## 未　来

老王家的对过儿，出现了一批高级铺面房。老王无端地相信，这里边应该有一家邮局，一家工商银行，一家医疗诊所，也许还有一家中药铺。他们家离这一类店铺太远了，随着年龄日大，他太希望能就近解决各种需要了。

过了几天，传出消息，说是这一片房屋将提供给福利彩票机构。老王有些失望，但一想，有限地搞那么一点福利彩票，也不一定是坏事，可以推行某些福利事业，可以满足游戏心理，哪怕是侥幸心理，可以让一些人就业，可以逗你玩与逗自己玩……万一要中一回特等奖呢？就让大家同时做着这样的梦过日子吧。

过了几个月，挂出了牌子，有一个大门脸儿的铺房将作为棋牌室使用。不久又出现了说法，说是有些棋牌室可能会搞变相赌博，当然，你看不出来，客人们只玩筹码，玩完了再用现钱结算。

老王有点忧心忡忡，安慰自己说，管那么多干啥？社会在前进，人们的生活空间与活动内容正在延伸，旧的不得温饱的矛盾解决了，必然会出现新的矛盾，再过许多年还不是一样？美国或者欧洲还不是一样？

又过了两个月，棋牌室的字样不见了，变成了什么咨询公司。老王更糊涂了，咨询个啥？公司个啥？其他更多的房子呢？世界日新月异，老王只见老来不见长进，一边待着去吧。

后来咨询公司的字样也不见了，又说是要变成函授学校了……到底这一片房子会派上些什么样的用场呢？

又有人说，其实还没有装修好呢，根本就没定下来到底怎么使用。修好了，再招商，然后才知道。

老王想起了年轻时候看过的苏联导演导的契诃夫的话剧《万尼亚舅舅》，那里面有句台词：

“我真想知道呀，我真想知道呀！”

知道就知道，不知道就不知道。未来在前边闪耀着，像灯光，像皮影，像水面的涟漪。我们等待你，未来！

## 电影院

老王的孩子们拉着父母看了两次电影，老王的妻子叹息说：“唉，前几年我国的电影事业不怎么景气，听说影院都纷纷倒闭了，没想到最近影院还真的火起来了。看来我们国家的电影事业很有进步呀。”

老王的孩子哈哈大笑起来，说：“真有意思，你们不看电影就是电影事业萎缩了，你们看了两回电影就是电影事业发展了，您可真会拿自己当判断真理的标准……”

孩子的话让老王想了好久：可不是嘛，年轻时候他爱读小说，就相信那个时候的曲波呀杨沫呀柳青呀姚雪垠呀写得最好。现在老了，轻易不那么感动也很少读书落泪了。近几年他干脆就没有读过新的小说，就认定当下没有可看的好小说了。有多少人像他一样批评现在已经没有好作品了啊。

年轻的时候喜欢吃糖葫芦，现在牙不好，怕酸，就认为现在的糖葫芦不好吃了，甚至认为连山西的老陈醋也不如过去了。年轻时候崇拜那么多中外女明星，现在呢，看谁都没激情了，不免发牢骚，还是胡蝶、周璇、费雯丽、赫本、伊琳娜·斯科布采娃好啊，那时候的明星，真是光彩照人！现在哪还有美女！

能说什么呢，那个动不动就夸赞世界的时候，我们是多么年轻啊。

# 空山不空

〇珠　晶

一个男人，如果心生善意，就会变得温柔、细腻，像护花使者，小心翼翼，呵护花蕊上的每一滴露珠，让人心存美好。

我的朋友杜马，是个能把快乐传递给别人的人。他的主要工作就是写书。他的又一本书寄来，我看到书的勒口，印着他骑一头小毛驴向我们挥手致意的剪影，大笑不止。他说自己的属相是马，不可以自己骑自己，就骑毛驴。一位神仙的坐骑是什么动物不重要，重要的是他拥有的心情。

杜马的作品研讨会在山上筹备。原以为这山是空山，大家用春花酿酒，松子煎茶，用百合做杯盏，饮晨雾朝露，听泉看月，过几天不食人间烟火的神仙日子快活快活。可主办方某景点度假村差不多用满汉全席招待与会者。让人油脑肥肠，大有暴殄天物之感。这天上午，离会议开始还有几十分钟，太阳像碎金子一样洒满了山谷。金银花、杜鹃花发出沁人幽香。文人们三人一堆、五人一群谈诗论文。我和杜马在一个山坳闲聊，对面坡上下来两个气喘吁吁的山民，有一人提一只正在挣扎的山鸡。山鸡的五彩翅膀用力扑扇着，发出嘶鸣。这声音引起我们的注意。我快步迎上去想看看山鸡的模样以满足好奇心。山民笑说：城里见不到吧？这是给你们中午吃的。我感觉好像哪儿不对劲时，就看见杜马两眼发直盯着那只好看的山鸡，腮帮子一下鼓胀了。他并没有说什么，只是直视两个山民远去。我们好像还可以继续什么话题。可这时的杜马已经不是他自己，只听他

“嗥”一声顺着山路向山民追去。我追到坡上度假村的院前，就看见一群人围着杜马和两个山民。杜马坚持说山鸡不能杀掉。而山民坚持说山鸡不好打，逮一只不容易，上面安排午宴有野味，他们也没法儿。争执不下，杜马掏钱，山民请示，这只山鸡的命运有了转机。有人开始到处找背篓，说杜马还擅长油画，一定是买回去豢养临摹画画的。杜马抱着山鸡什么也不说，小心地抚平它的羽毛，穿过山坳到一个崖前。杜马放飞山鸡的场景异常经典：当时阳光正好，山野一派清新，山鸡飞起后扑腾着五彩翅膀环山盘旋，尔后哀婉地尖叫一声腾空而去。阳光下的杜马伫立山崖，是那样平静、高大……

会后，我和杜马说，以前我有一个西藏雪域的朋友，也曾放掉一只狐狸。当时这位朋友是某哨所的最高长官。这位长官的兵长年在哨所放哨，脸都冻开了花。我的朋友想用狐狸的尾巴为兵做一条暖和的围脖。可是那只红狐狸实在太美丽了，就在长官举刀刺向狐狸的颈项时，那只红狐闭上了美丽的眼睛。我的朋友将刀“嗖”一下扔进了雪野……我说为美丽放生，这个西藏男人让我崇拜了很多年。现在你又放了一只美丽的野鸡，往后不知该崇拜谁了。杜马狡黠一笑说：这两个家伙都不能随便带回家的，一定得放生。所以，你谁也不用崇拜了。

分别的时候，杜马从手里变出一个火柴匣给我，说：山上宝贝不少啊，看看爱情琥珀。打开一看是只锦缎一样绿的金龟子。佩在钻戒上真的会像猫儿眼绿松石。杜马说它昨天爬进了我的蚊帐，我情愿相信它是哪个美女变的。我又一次大笑，说杜马你心里有猛虎嗅蔷薇啊。杜马也笑，说风流总被雨打风吹去……

放了金龟子那刻，我目送杜马一行下山。

一恍就是除夕，我给杜马发了彩信，祝福他新年快乐时，还祝福来年春天他的好事像洪水一样泛滥。

杜马只回了俩字：我想。

# 补丁也开花

〇孙道荣

拐角凹进去一段，就是她的舞台。她在这里摆摊织补，已经好几年了。

每次路过，都能看见她，坐在凹槽里，埋头织补。身边的车水马龙，似乎离她很远。她很少抬头，只有针线，在她的手上不停地穿梭。

这里原本是一个城乡接合部，这几年城市西扩，这块地也跟着火热起来，到处是建筑工地。上她那儿织补的，大多是附近工地上的民工。衣服被铁丝划了个口子，或者被电焊烧破了个洞，他们就拿来，让她织补下。也不贵，两三元钱，就能将破旧的地方织补如初。如果不是工服，而是穿出去见人的衣服，她会更用心些，用线、针脚、纹理，都和原来的衣裳一样，绝对看不出织补过。

从她所在的拐角往前百米，是一所学校。我的孩子，以前就在那所学校读书。每次接送孩子，都必经她的身旁，也就对她多留意了点。

一天，妻子从箱底翻出了一条连衣裙，还是我们刚结婚时买的，是妻子最喜欢的一条裙子。翻出来一看，胸口处被虫蛀了个大洞。妻子黯然神伤。我的眼前，忽然浮现出她的影子，也许她可以织补好。

拿过去。她低头接过衣服，看了看，摇摇头说，洞太大了，不好织补了。我对她说，这条裙子对我妻子意义不一般，请你帮帮忙。她又看了看裙子，忽然问我，你妻子喜欢什么样的花？牡丹。我告诉她。她看着我，要不然我将这个洞绣成一朵牡丹，你看怎么样？我连连点头，太好了。她从一个竹筐里，拿出一大堆彩色的线，开始绣花。我注意到她的手，粗大，水肿，一点也不像一双绣花的手。我疑惑地问她，能绣好吗？她点点头，告诉我，以前她在一家丝绸厂上班，就是刺绣工；后来工厂倒闭了，她才开始在街上摆摊织补。她原来绣的花可漂亮了。她笑着说，原来的手也不像现在这么笨拙，在外面冻的，成冻疮了，所以，才这么难看。

正说着话，一个背书包的女孩走了过来。以为女孩也是要织补的，我往边上挪了挪。她笑了，这是我女儿，就在那边的学校上学。女孩看看我，喊了声叔叔，就放下书包，帮她整理线盒。很多线头乱了，女孩就一根一根地理清，重新绕好。不时有背着书包的孩子，从我们面前走过。有些孩子看来是女孩的同学，她们和女孩亲热地打着招呼。女孩一边帮妈妈理线，一边和同学招呼着，脸上挂着浅浅的笑容。

我好奇地看着女孩，她稚气的脸上，已经冒出青春的气息。她似乎一点也不在意她的同学知道她的妈妈是个街头织补女。这出乎我的意料。我有个同学，就因为长相土了点，苍老了点，他的儿子从来不让他参加家长会，也不让他去学校接自己。男孩认为，自己的爸爸太寒碜了，出现在同学面前，丢了自己的脸。

我对她说，你的女儿真好。她看看女儿，笑着说，是啊，她很懂事。这几年，孩子跟我们也吃了不少苦。女孩嘴一撇，吃什么苦啊，你和爸爸才苦呢。忙完了手头的活，女孩拿出书本，趴在妈妈的凳子上，做起了作业。我问她，怎么不回家去做作业。女孩说，我们要等爸爸来接我们，然后一起回家。

她穿针引线，牡丹的雏形，已经显露出来。这时候，一个中年男人骑着三轮车过来，女孩亲热地喊他爸爸。我对她说，天快黑了，要不我明天再来拿，你们先回家吧。她摇摇头，就快好了。

路灯亮起来的时候，她终于将牡丹绣好了。那件陈旧的连衣裙，因为这朵鲜艳的牡丹而靓丽起来。

中年男人将三轮车上的修理工具重新摆放，腾出一个空位子来，然后，中年男人一把将她抱了起来，放在了那个座位上。我这才注意到，她的下半身，是瘫痪的。女孩将妈妈的马扎、竹筐放好，背着书包，跟在爸爸的三轮后，蹦蹦跳跳地走去。

目送他们一家三口的背影，我拿着那件绣了牡丹的裙子回家。你完全看不出来，牡丹之处，曾经是一个补丁。

# 鞋匠和他的儿子

〇曾　颖

鞋匠是我们小区必不可少的人，他修过的鞋既美观又舒适。有一年城里迎接"创卫"检查，他消失了一段时间，搞得小区许多人见面相互问候的话都是他的行踪。

鞋匠修鞋修得好，心地也很善良，很多孤残老人修鞋他都分文不取，他不是不需要那几元钱，而是不忍心。他也因此成为物业公司特许在小区围墙内经营的唯一小摊。

然而，他的运气并不好。他的妻子，在为他生下儿子之后离开了这个世界。她的离去，也带走了那个爱一面哼歌一面补鞋的鞋匠，而代之以一个只埋头干活儿的机器。很长一段时间，他甚至一整天也不抬头，因为他知道，无论哪个方向都不会再看到那个挎饭篮的女人了。

唯一能让他看到妻子影子的，只有他的儿子了。小家伙似乎有穷家孩子懂事早的天分，每天都安然睡在补鞋挑子里，饿急了的时候才小猫一样轻哭两声，鞋匠就会从怀里取出奶瓶，把带着体温的米糊放进那小小的口中。小区居民看到这幅景象，纷纷回家，把孙儿们不吃的奶粉和不用的衣物找出来给他。

可怜的小家伙吃着百家的奶居然一天天长大了起来。

儿子是鞋匠唯一的欢乐，只有儿子咯咯笑的时候，人们才能看到鞋匠笑，他二十几岁的脸居然比四十岁还沧桑。

日子过得很快，转眼间儿子就五岁了。五岁的儿子很懂事也很听话，能帮父亲递钉子锤子或抹鞋上的灰尘，干起活儿来居然很老练，惹得过路的人们都跟鞋匠开玩笑说：哟，你真有福气，都有接班人了。

鞋匠听了这话，像被人点了穴一样，半天不动一下。这之后，他开始留心关于学校的事，每有人来补鞋，他便要向人打听小孩上学的事。越听，越没有信心，越听，越觉得可怕。人们说：我们有城市户口，娃儿读书都贵得吓人，你吗……

五岁的娃娃即将到来的读书问题使鞋匠充满了紧迫感。鞋匠因此显得神不守舍。有一天甚至还发生了历史性的差错，将刘大爷的鞋送给了张大妈而又将陈先生拿来上线的鞋钉上了铁掌。

几天后，小区里流传出一个消息，说鞋匠要将儿子送出去，什么条件也不要，只要对方是有文化的人家。大伙儿起初不相信，去问鞋匠，鞋匠点头说是，他无论如何也不想让儿子像自己这么活。

有几对无儿女的中年夫妇来找他，他问过对方的职业之后，摇摇头，就不再说什么了。后来，有一个工程师来找他，他想了半天，把孩子使劲抱在怀中一会儿之后，就同意了。工程师给他五千元钱，他没要。

鞋匠又开始埋头补鞋。儿子常穿件新衣服来摊边，照样递锤子抹鞋子。每当这时，他总会挥手让他走。儿子不走，他就举手吓他。吓也吓不走。终于有一天，他发火了，抱起孩子，狠狠地打了他一顿。这是这个苦孩子在这个世界上挨的第一顿打。

从此，孩子再没敢在鞋匠面前出现。只远远地躲在远处看他。工程师夫妇于心不忍，就来找鞋匠说："这事……还是算了吧。"鞋匠一听，就急了，又是摇头又是摆手，说一定会有办法的，会有办法的。

第二天一早，鞋匠就和他的鞋摊一起消失了。人们说："创卫"还早着呢，哪儿还能找到这么好的摊哟。

小区再没有了鞋摊，有几个外地鞋匠想进来填补空白，被保安们骂走了。保安都是乡下人，他们都说受不了鞋匠的儿子盯着鞋摊的眼神……

# 望的故事

○张海迪

望是个日本男孩的名字，是我的好朋友。八年前望才九岁。新近他又寄来了照片。望在一片绿地上站立着，剑眉高扬，两眼闪着炯炯的光，很英俊很挺拔的样子。这是望吗？我很难把照片上的望与那个在我的记忆中永远九岁的小男孩联系起来。

那是夏天，日本的孩子也放了暑假。望和他十二岁的哥哥惠太乘火车从东京来到他们的爷爷家——东京湾一个小小的美丽的避暑胜地，我那时正和妹妹住在山顶的一座木屋子里。门外，远处是满目青山和蓝色的海，近处是茂密的树林和绿茸茸的草地。

望是个喜形于色、怒形于色的孩子，而惠太却温文尔雅，有点儿像女孩子。他喜欢坐在我的榻榻米上，给我讲他在学校的事。惠太说他喜欢音乐，在学校经常指挥大家唱歌，还会吹竖笛，他有一支乳白色的雅马哈竖笛，声音很纯正很柔和。惠太会吹奏很多好听的歌，他有一摞歌本，有时他让我挑喜爱的歌，然后把那些歌吹给我听。我有时就听得入了迷，我特别喜欢听《海滨之歌》，那优美的旋律深深地吸引着我。我也喜欢看惠太吹竖笛的样子，他的睫毛很长，眨眼睛时很动人，我于是就盯着他看。

几天后我发现，每当我听惠太讲什么，或是听他吹竖笛时，望就会坐到一边去，他撅着嘴巴，还不时朝惠太翻一下白眼儿。我知道，望因为自己被冷落而生气了。我就赶忙跟他说话，跟他玩儿。

有一次望悄悄对我说，你真那么喜欢惠太吗？他在学校就爱逞能，你知道有好多女生给惠太写信呢。不过她们可太难看了，眼睛这样，鼻子这样。望说着，把自己的眼睛捏成三角眼，还露出鄙夷的神情。

我笑起来，问他，那么，望，有女孩子给你写信吗？望的脸有点儿红，他低下头，用几乎只能让他自己听见的声音说，有啊，不过比惠太的漂亮。我忍不住大笑起来，我很想拥抱亲吻望，可我只是亲昵地摸了摸他圆圆的小脑袋，因为日本孩子不习惯亲吻。

望常说，海迪桑，你是我最好的朋友。日本孩子对父母以外的大人一般不叫叔叔阿姨，而是直呼其名，并加上桑，所以望就叫我海迪桑。

望喜欢中国，向往中国，他让我教他说中国话。我教他学会了一首中文歌曲《我的朋友在哪里》。惠太也学会了，从此他们小哥儿俩每次上山来找我都唱着这支歌：一二三四五六七，我的朋友在哪里，在北京，在上海，我的朋友在这里。朋友朋友让我们拉起手……

一次望问我，他的名字的读音用汉字怎么写。我忍不住笑了，我说，望，我不能告诉你，不然你会生气的。

望见我不说就一遍遍固执地追问。

我说，我要是告诉你，你生气怎么办？望说，我不生气。我问，保证不生气吗？望说，当然。他还和我拉了钩。

我说，好吧。就在纸上写了望这个字的日语读音，然后在那三个字母下面注上汉字——孬糟米。

望问我，“孬糟米”的中国话是什么意思呢？

我说，就是坏的米。

望的脸刷地红了，撅起嘴巴说，坏的米呀？

那天下午望不太高兴，太阳还没落，他就拉着惠太下山了。我有点儿后悔给望的名字选了这样几个汉字，那天晚上我和妹妹翻了半天词典，想找到让望高兴的汉字注音，可直到睡觉之前也没找到满意的字。

第二天早晨望没有来，下午望还是没有来，我给望的爷爷打电话，他说望回东京了。我有点儿不安，我想望一定生我的气了。我不知道回国前还能不能见到望。

不久我和妹妹去了金泽，我们回来时天正下着细细的小雨，汽车沿着盘山的小路向山顶开着，我的眼前又是一片浓绿，山风习习吹来，还夹着各种树木花草的清芳。忽然我听见山顶隐隐传来一阵歌声，仔细听听，是男孩子嘹亮的歌声：一二三四五六七，我的朋友在哪里，在北京，在上海……

哦，是惠太和望！

我连忙从车窗探出头去，向着山顶放声高喊。

小鹿一样活泼奔来的望扑到我的面前，后面紧跟着累得大口喘息的惠太。我发现望的眼睛亮闪闪的，他说，海迪桑，告诉你一个好消息，我爸爸同意给我改名字啦！

什么？改名字？我惊异地看着他。

惠太告诉我望回家就是为了让父亲改名字的。

望说，我不叫坏的米，我要叫好的米，海迪桑，你说我是好的米吗？

多么可爱的望！我紧紧地拥抱着望，吻着他毛茸茸的小脑袋说，望，你是好的米！

# 市长的退路

〇奚同发

在担任副市长的最后一天，刘秉义总有一种欲哭无泪的感觉。六年多来，为什么就从没给自己想想退路？

除了秘书过来了一次，没有电话或其他人来找他，两天前工作已交接完毕。突然安静下来，真有些不适应。独自静坐，越发感到工作着才是最好的，尤其像他这样每天都被安排得满满的人。从大学毕业来到这座小城，从一家大型国企的技术员做起，到总机械师，而后在“工业兴市”战略、市政府“东进西开”工程中，一次次变换身份，直至有一天成为主管工业的副市长，天天都是一个“忙”字。而现在，竟然要到市人大去报到，况且正式任市人大副主任还要等人代会后。

回想从政的历程，他觉得自己还是做了不少好事、实事的，其中也有些“人情”事。但是他身后的人排成了长队，他不退，别人就没机会……即使找到一些释然和自慰，心里总还是有种难言的失落和茫然。为什么就没早一点儿准备好退路？

他突然决定在自己还担任副市长的最后几个小时，走一走看一看这座熟悉而陌生的城市！这个类似“微服私访”的浪漫想法，让他“扑哧”一下笑出了声——他立刻意识到，这种笑在以前是没有过的，以前他总会把笑也笑得像个市长。已经多年没有独自在城市中步行，全是乘专车来来往往，这个会议那个会议，不是陪上级考察，就是被人陪同调研……刘秉义正是在这样的胡思乱想下，走进市政府大院外那个绿树掩映花红鸟鸣的小园子，并且看到了那个棋摊。他心里禁不住一阵狂喜……

从小就喜欢下象棋的刘秉义，不仅看了许多棋书，还经常用自己省下的零钱，去街头下棋摊“残局”。后来，下到大学，下到工厂，下到副市长，他不下了。因为他发现，别人送给他的各种象棋，多得足以开个收藏馆。做了领导，爱好也不能随便爱好了……现在终于可以安安心心下一盘棋了……全神贯注在棋盘上的他，不足一分钟，就明白了，这是一个名叫“盘庚迁都”的古局，生死皆在一步之间。黑方必须按固定的步子走，错一步必输。而红方走得再好也不过是杀到平局。棋盘一侧写着：“观棋不语，输者一局五角。”

“刘市长，我等你……都快一个月啦……”摆棋老人沙哑的声音让刘秉义一个激灵。“是……师傅……您啊！”可不就是当年在工厂带刘秉义的张师傅嘛，头发胡子全白了，一下子还真不敢相认。想想，老人都快七十了。

原来，老人在这儿就是为等刘市长的。工厂近两年几换领导，都是混混就走，把厂子弄得濒临破产，而现任厂长最近要把厂子卖给一家房地产公司。这意味着老人的三个孩子和厂里上千名职工将面临下岗。职工们找到张师傅家，让他找刘市长。老人找了多次，不是不让进，就是说市长外出不在。没办法，知道刘市长好下棋，不得已在这个园子摆棋摊，死等。这几天，厂子的归属已到了最关键的时刻，他都有些等不及了。

刘秉义的心“咯噔”一下，就愣在那里。主管市工业口多年，竟没关心过曾培养了自己的工厂，善良的原厂职工也没有谁来找他办过一次事。现如今已是生死悬于一线之时，才找上门来。唉！有多少事还没来得及做咧！

“救救厂子吧……”师傅说时，已老泪纵横，让刘秉义心疼。

“不急不急……我们一起想办法。”他一边说着，一边蹲下来询问具体情况。最后，听明白了，厂子还没有到卖房卖地这一地步，只是缺少一个懂工业的领导。他几乎冲口而出："我去，我去，你们要吗?"

师傅吓了一跳，然后摇着头一副哭笑不得的表情说："大伙儿都快愁死了，你就别开玩笑……"

回到办公室，刘秉义便叫车前往机械厂了解情况。

令刘秉义多年后仍引以为豪的是，当了六年多的副市长，而在任的最后一天，他不仅为自己当年曾工作过的、尔后忽略了的工厂工作到最后一刻——晚上24点，而且从零时起，他还超时"服役"两三个小时。

那一夜，疲惫不堪而又极度兴奋的他，在黎明前最黑暗的时候回到办公室，想了很多很多。他甚至想到有位省委副书记退下来后，承包了一片荒山植树造林，如今早已绿荫一片。而他的眼前，是工人们一双双充满企盼的眼睛。

天亮后，刘秉义拨通了组织部长的电话……

# 鲍江月

〇陈　毓

御道口是木兰围场边上的一个镇子。说是镇子，其实只有十几家小店铺，从镇东头走到镇西头，用刚刚吃饱了饭散步的速度是8分钟。再慢慢走回来，还是8分钟。

鲍江月是镇东头“草原人家”旅馆女老板的女儿，旅行社订了她家的房子。我们的车刚停稳，就见一妇人跑出来，跑进车子扬起的尘土里，等看见车上跳下熟悉的导游，就朝屋子里喊：赶快开门，客人到了。

声音落时，就见一女孩跑出来，在门口探一下头，又往回跑，回头就听见一串钥匙响，很快响到楼上去，“乒乒乓乓”，一溜门都打开了。女孩再次出现在楼下，踮着脚给放满一桌的一次性杯子里倒水。每个杯子里都放一朵花，滚水一冲花就开在杯子中间，活生生地鲜艳着。她告诉我说那是金莲花，清热去火，适合夏天喝。

有看见楼房后面蒙古包的客人说想住到蒙古包里，有不耐烦楼上卫生间等候的，小女孩都很殷勤地帮着换房间、带路找屋后的厕所，跑进跑出，活泼如小鹿一般。

在她忙碌的间歇，我抓了她的胳膊，问她是不是9岁了，她表情很吃惊，睁大两只细眼看我，回答说上一学期是六年级。我就摸一下她脑后冲天的羊角辫，说，那你叫什么名字？鲍江月。说完就用右手食指在左手心上画，给我三个字的具体写法。草原上风硬，人的皮肤黑，鲍江月就有着草原硬风吹拂出的有釉光的黑皮肤，低额，宽脸，俩眼距离很开，像是蒙古族血统。问她是不是蒙古族，她说父亲是蒙古族，母亲是汉族，她从前跟母亲的汉族，过了这个暑假就跟父亲，是蒙古族。

再问为什么，她说是父亲的意思，因为过了这个暑假她要到城里念书，那里没有草原。一个在草原时是汉族等离开草原却要在“民族”那一栏里填写“蒙古族”的人家，我想他们有他们的逻辑，就没有再问“为什么”。

除了一楼辟出的餐厅和厨房，鲍江月家有20间客房，还有楼后的七个蒙古包。我看见蒙古包空着时就想换到蒙古包里住。鲍江月说潮，不好住，不让去。她拽拽我的手臂，悄声对我说，二楼还有一间屋子，带阳台的，靠近她的房间，在拐角，能看见草原，早上要是醒得早，站在阳台上就能看见日出，让我悄悄去跟她的母亲要。

吃过晚饭星星就出来了，鲍江月家的小饭馆里有电视机，但好像没有人待在房间里看电视。下午来的路上姓马的导游问，晚上有没有人愿意吃烤羊，如果愿意的超过了10个人，她就可以联系烤一只全羊，这样平均到每个人就比单烤一只羊腿实惠，还可以燃篝火，放烟花，篝火的劈柴和烟花是免费的。

寂静的草原夜，响起的不是马头琴伴奏下如水的长调，是炮仗的声音。如果你看见烟花升起，那就是有一个团在烤全羊了。

烟花升起在鲍江月家的前院。烟花升起在鲍江月家的后院。烟花升起在鲍江月家的侧院……站在鲍江月家的二楼阳台上，一朵，两朵，三朵……你能数清这一夜鲍江月家杀了几只羊。

正是夏深秋浅的旅游旺季，草原上草肥羊美人欢实呢。

现在是7月中旬的一个深夜，鲍江月站在庆祝烤全羊的人圈里，冲天的羊角辫被火光剪影成一只小小的塔，火光爱抚着她上釉的皮肤，在她浑实的手臂和小腿上舞蹈。她站在跳跃的火光中，显得比白天安静。

熬夜不要紧，反正现在是假期，明天可以晚起。

到9月，鲍江月就是中学生了。她要去离家40公里的廊坊上学。新学年她住在舅母家里，不会寄宿。往后呢？也许她要住在学校的集体宿舍里。

鲍江月说这些话的时候会很专注地看你，细细的眼睛望定你，让你觉得她的神情很像是一只突然跑上道路跟人不期而遇的松鼠的神情。

放假的时候她会回到草原来，看得出她很愿意忙碌，不光是忙碌的时候家里会有很好的收入，草原上的旅游季节性很强，过了季节就得等到第二年了。她诚心为家里的生意帮忙，她喜欢看见远处的人来。她说夏天好，夏天人多。而冬天，镇子上总是那么些人，走过来走过去，一张张再熟悉不过的脸，看得日子都显得沉闷漫长了。

现在，在7月中旬的草原夜，鲍江月站在一群穿戴得花样百出、既熟悉又陌生的人群里，等待一只全羊被慢慢烤熟，她依旧穿着正午时分穿着的那条太阳裙，暴露着她浑实的手臂和小腿。太阳裙的底子是白色的，上面开满了金色的金莲花。

# 大闹隆福寺

〇萨　苏

从日本比赛回来，摔跤队放假，两个女选手去东四长虹电影院看电影。一个是轻量级的，18 岁；一个是中量级的，17 岁。她俩也就是国内前六的水平，在亚洲可排不上名次。

那个轻量级的选手比较清秀，倒没什么。那个中量级的理了个男孩头，就有点儿惹眼。几个小青年在旁边议论上了：“你说那是个男的还是女的？女的吧，脸上都是疙瘩；男的吧，没胡子，又没喉结……”

有个小子嘴损，说了一句：“二尾子呗!”“二尾子”是北京土话，“阴阳人”的意思。开始两个小姑娘还忍着，听到这一句，可就忍不住了，觉得要和这帮小子理论理论。

女运动员和普通女孩子找人讨说法没什么两样，她俩过去就问：“你们说谁呢?”

小流氓噎人比打人还有本事：“哟，捡什么还有捡骂的呢！说你呢，怎么着?”

“你们怎么这么不文明?”

“什么叫文明？你们俩文明？男的还是女的啊？攥拳头？想打架怎么着？要不要到外边试巴试巴，别怪哥哥动手动脚啊……”

也真奇怪，听到这句话，本来怒气冲冲的两个姑娘顿时就不生气了。

练竞技体育的，最喜欢有人挑战，尤其是在自己得意的专业上——那叫什么？叫“手痒痒”。有个打双向飞碟的射击运动员姓张，是个大大咧咧的姑娘，有一天在中山公园突然动了枪瘾，上打气球的地方玩一把气枪，结果呢，大秃瓢。为什么？那摊上的枪都是动过准星的，瞄得越准，打得越没谱。张小姐何许人也，算算误差，不动声色，一口气把后边的票全买下，回过头来枪枪见红，打得摆摊的磕头作揖，就差叫姑奶奶了。张小姐这才抱着大大小小的玩具熊、毛绒兔(那是奖品)，哼着侉侉的四川小调，逍遥而去。那种爽劲儿，恐怕不亚于拿个冠军。

要说摔跤、拳击，队里的规矩是最严的。无故和人打架，只有一个处分——开除。不严不行啊，这伙人“杀伤力”太强了。有人肯主动找碴儿，这送上门来的机会简直千金难买！

两个小姑娘到日本是预备队员，根本没机会上场；放假又没训练，正手痒痒憋得难受呢。听见这话，简直比大热天吃冰激凌还舒服。那轻量级的赶紧迈上一步，战战兢兢地说：“你们道歉也就得了，干吗要打架呢？打坏了多不好。”怎么“战战兢兢”呢？紧张，怕人家反悔啊！这后半句可就露出了狐狸尾巴。

“嘿，有这样的娘儿们，找抽不是？今儿就替你爸教训教训你。出去，外边说去！”有了“外边说去”这句话，今天是想不打也不成了。姑娘们暗暗念声“菩萨保佑”，打心眼里感谢这几个“大沙包”。

走到隆福寺街上，中量级的对轻量级的递个眼色，意思是你先上，我手太黑，弄出人命来犯不上。她这样想，人家可不这么琢磨。流氓也有自尊心啊，好男不跟女斗，带头的小子就奔这“不男不女”的来了，伸手就抄人家的领子。

中量级的一看，赶紧来个“抱肘”。这“抱肘”是相当基本的招数，纯属防御，目的是别住对方的臂肘，一耸一带，自己重心下沉，保护胸前要害。这一招用在摔跤高手身上，很容易被对方乘机夺取主动。小流氓哪有摔跤高手的本事呢？只这么一带，那小子就“嗖”的一声，直奔南边白魁老号的大柜台，脆生生地和炸果子的铁锅亲了个嘴儿。

这一下，周围的人可算开了眼界。小流氓们也不示弱，第二个“嗷”的一声，抄起一把椅子就奔向那个轻量级的——他比较滑头，不敢和“不男不女”的叫板，想从小姑娘身上捞点儿便宜。

摔跤都是空手，对方抄家伙，会不会不习惯？这一点儿都不是问题。为了训练运动员的反应，摔跤队有专门的胶皮假人，教练胸前挂上假人，加上自己的双手双脚，变成四手四脚的“怪物”，和运动员交手，算是一种调整运动。轻量级的小姑娘把椅子当成假人对付，双手一伸，就把这小子连椅子带人扔了出去，结结实实地摔在马路上。这是吸取了摔第一个的教训，没想到这么不禁打，不能让他们撞到有危险的地方去。

小流氓一看自己人吃了亏，顿时吆喝一声，各抄家伙，一拥而上。周围摆摊的算是倒了霉，椅子凳子全给顺手拎去，成了“凶器”。两个小姑娘一个站到北边，一个站到南边，沉着应战，丝毫不惧。周围的街坊看不下去了，齐声喊：“别打了，别打了！”

东四派出所就在对面胡同里。等警察赶到，只听得喊：“别打了，别打了……”不是街坊们在喊，街坊们都看直眼了，喊的是那伙小流氓。

警察分开人群进去，只见几个小子躺在地上，椅子凳子腿儿散落一地。两个小姑娘站在对面，冲小子们喊：“别装死啊，起来再来呀！快点儿，警察要来啦！”

领头的小流氓威风不倒，躺在地上毫不示弱：“就不起来，你能把爷怎样？”

警察评论：兴犹未尽。

警察倒是挺有兴趣的，非常想和这两个小姑娘“交朋友”。可惜带回去不到两个小时，就让她们走了。体委的人得知消息，马上就来了。带头的是她俩的领队，姓胡，和市局的头头们倍儿熟——打出来的交情，直接就到派出所要人。胡领队刚进门，局长的电话就到了：“我们的运动员为了给国家争光，作出了多少牺牲，你们还让这些小流氓作践她们，干什么吃的？快给我放人！”

据说听了原委，小流氓们都大叫冤枉：“我们作践她们？我们是陪练啊……”

# 摔跤

〇申　平

大沙滩上正有一伙人在摔跤，显然不是一般的人，沙滩旁停着几辆小汽车。午后，阳光强烈，农民都歇了，沙滩周围异常宁静。于是，这伙有身份的人才敢如此放浪形骸。

摔跤的主意是张头儿出的，刚才车子经过大沙滩的时候，他的心猛跳了一下，一段遥远而又清晰的记忆跃入脑际，他不由叫了一声："停车，快停车！"他打开车门走到海边，心一下子醉了。多美的大沙滩啊！白如银，平如镜，软如垫，连八十老翁见了，也想上去打个滚儿。大沙滩在阳光下熠熠生辉，他猛地一下子扑在上面，就像孩子扑进了母亲的怀抱。他惬意地打了两个滚儿，真想吼上一嗓子……

"来，过来，咱们摔个跤吧！"张头儿冲着陆续走出车门的人喊叫，他看见所有的人好像一下被定了格，接着又面面相觑。显然，他们都以为他喝多了或得了精神病。他哈哈大笑起来："我说你们哪，当官都当傻了！难道咱就会整天开会训人？你们看，多好的沙滩啊。来吧，轻松一下！"

大家一齐松了口气，又不约而同地转动脖颈看一看周围，这才迈着犹疑的步子向张头儿走来。

张头儿一下子扔掉了西装，又甩掉皮鞋，朝手心啐口唾沫，搓搓，挥着手臂叫阵："来，今天我当擂主，有种的，上！"

太精彩了，一行人全不是对手，张头儿觉得并没怎么用劲已经摔倒了几个，其中一位局长不摔自倒，四脚朝天倒在沙滩上说：“我摔不过你，认熊行吧？”

张头儿心中便有几分不快，同时又有几分疑惑：怎么都不敢跟我动真格的呢？他慢慢捡起西装往身上穿，眼睛直愣愣地望着远处。他的脸忽然泛起光辉来，重新甩掉西服，大踏步往沙滩边上走去。

世上难道真有同样的生活场景重复发生吗？真的，眼前的情景千真万确与三十年前一模一样：那个牵着牛站在沙滩旁的壮小伙子，不就是当年的自己吗？而自己不正是当年的县委孟书记吗？只不过是时间不同、人物角色不同罢了，他加快脚步走过去。

小伙子壮得像头牛，酱色的胸膛在阳光下微微起伏。“伙计。”张头儿喊道，他清楚地记得当年孟书记就是这么叫他的。小伙子睁大眼睛上下打量他，显然是在猜测他的身份。

“伙计，”张头儿继续喊，满面笑容地问，“忙活啥？来，抽一支吧。”他习惯地伸手摸烟，才想起没穿上衣，不好意思地笑了笑：“伙计，你敢过来摔跤吗？”

“什么，摔跤？”小伙子脸上现出讥讽的笑容，“就你们刚才那也叫摔跤？”

“当然不叫，太没意思了。”张头儿顺着小伙子的意思说，“要不咋来找你呢！”小伙子重新审视张头儿：“你是当啥官的？”

“啥官不官的，咱俩一样都是人。来，有种没？咱俩摔一跤！”

小伙子受到鼓舞，松开牛缰绳，抡抡自己的光膀子：“摔就摔！你只要不怕骨头散架，就来吧！”

张头儿在心里喝一声彩：“这小子，怎么和自己当年说的话一字不差？”两个人搭起了架势，开始在沙滩上转圈，柔软的沙滩在他们脚下滚动、呻吟。他们都不时被对方抡起又落下，于是都有了一种腾云驾雾的感觉。

张头儿开始发喘：该死，当年的雄风哪去了？年岁不饶人哟。小伙子开始占上风了，张头儿感到小伙子越来越像根不可撼动的石柱，他甚至连小伙子那硬硬的胳膊也抓不牢。

小伙子突然大吼一声，只一抡，便把张头儿扛到肩上，开始一圈圈转动……

好！有种！完全和当年自己摔孟书记一样。张头儿立即做好挨摔的准备，更准备像孟书记当年一样，爬起来牢牢地拉住小伙子的手说："来，咱们交个朋友！"

但是耳畔却传来一阵严厉的呵斥："快放下！放下！那是县委张书记啊！"

张头儿突然感到身下的石柱软了下来，软得如同一根面条，一点点把他往下放。"摔！摔呀！"他忍不住喊起来，脚却已经着了地。"唉！"他沮丧地一屁股坐在沙滩上用恼怒的目光看着手下这伙人。"你们——"他只吐出这两个字，便不知往下说什么好。再看小伙子，正局促不安地在一旁发怔，脸涨得通红，仿佛犯了罪一样。

太可惜了！张头儿想，一切都和当年相仿，只是结局差异太大，太可惜了！部下一起跑来扶他，关切地问："张书记，怎么样，摔着了没有？"他苦笑了一下，推开他们自己站起来，轻轻摆一摆手："你们都先走一步，好不好？让我……"他过去拉住了那小伙子的手："走，咱到那边去，静静地再摔一跤，交个朋友，好吗？"

小伙子有几分惊讶，也有几分疑惑，但还是点了点头。

张头儿想：我就不信找不到当年的感觉。

# 去上海出差

○秦德龙

火车已开出很久，老李才发现忘带身份证了。这可怎么办呢？总不能让火车停下来吧！到下一站下车，回去拿身份证？也不现实，那样的话，火车票作废了不说，还要耽误多少时间！既然错了，就错到底吧，天无绝人之路！上海那么大，流动人口那么多，人人都有身份证吗？乞丐有吗？玩杂耍的有吗？咱是国家干部，总比他们强吧！只要有钱，还愁找不到地方？

想到这里，老李释然。

老李哼着小曲，在卧铺车厢里走了一遭。这一走，居然有了意外的惊喜。老李看见老朱了，老朱正在“呼呼噜噜”吃方便面。老朱也看见老李了，当即说道：“老李？你是水利厅的老李吗？”

老李笑道：“当然是水利厅的老李。”这可真是的，世界说大也大，说小也小，老朱早些年从单位辞了职，去了南方发展，老李怎么也没想到，会在火车上遇到他。

老朱吃完了方便面，擦了擦嘴说：“你也去上海？”

老李说：“是啊，我到上海！”老李的心情好极了，这下子好了，带不带身份证都无所谓了。老李告诉老朱自己忘带身份证了。老朱说：“跟着我走，我住哪儿，你住哪儿。我有身份证！”老李真高兴啊。这可真是车到山前必有路啊！

老朱也很高兴，一到上海，就领着老李住进了宾馆，说费用他全包了。白天，老朱去忙生意，老李去办公差。晚上，两个人就山南海北地聊天儿。老李这才知道，老朱从单位辞职后，在南方干得很红火。

小住上海的日子是快乐的。可是，不快乐的事情最终还是来了。老李所办的公事，上海的商家需要查看身份证。老李就给老婆打了电话，要她用特快专递把身份证寄来。第二天，特快专递就到了上海，可是老李却取不出来。服务台说，要凭身份证才能领取。老李傻眼了，因为特快专递的信封上，写的是他的名字，而他的身份证又在特快专递里。老李一遍一遍做解释，服务台都不听。服务台的小姐说："不好意思，我们上海人办事，是讲规矩的！"

老李就把老朱拉过来做说客。两个人说干了嘴皮子，上海小姐就是不给面子。老朱摊开手说："没办法，上海人认证不认人！"

老李气得要命，一边骂老婆素质差，一边问老朱怎么办。老朱说，只好让服务台退信。老朱说："打电话告诉你老婆，信退回去了，换个信封，重新寄过来。信封要写我的名字，我有身份证。"老朱又说："你老婆是我的同学，当年的校花！"

老李苦笑道："你真狡猾，让我老婆给你写信！"

老朱乐了："怎么，吃亏了吗？"

老朱又说："人啊，该吃亏时，就得吃亏！"

老李说："没办法，让你占个便宜吧。"

第四天，特快专递又寄过来了。老婆很听话，信封上写的是老朱的名字。

可是，特快专递还是没取出来。邮递员到来之前，老朱有急事，去杭州了，坐火车走的。老朱临走的时候，把身份证留下来了，以便于老李取特快专递。老朱说，第二天下午就回来，杭州办事处是他的包房，他老婆是办事处主任，不用带身份证。

老李拿着老朱的身份证，去了总台。总台小姐对照了老李的长相，说不是本人证件，不能领取。当然了，老李可以代领，但作为代领人，必须出示代领人的身份证。

老李急得满头是汗，一会儿说特快专递是自己的，一会儿说自己是代领人，怎么说都说不清楚了。

小姐已不是前几天的那个小姐了，不愿意听老李解释，表现得很不耐烦。老李气得在心里骂："上海人，怎么认死理呢？"

没办法，只有回房间里等了，等老朱回来。

可是，两天过去了，老朱没回来。打他的手机，不在服务区。

老李哪里知道，老朱并没去杭州。到了火车站，他临时改变了主意，回到他和老李原来居住的那座城市去了。

老朱怎么会这样？这不是心血来潮吗？要说，也不奇怪，老朱现在有钱了，想去哪里就去哪里。

三天后，老朱回到了上海，却不见了老李。

只见到老李留下来的一张字条，说他坐火车走了。他委托老朱，把特快专递退回去，公差不办了，不需要身份证了。当然，房间没有退掉，等着老朱回来埋单。可是，老朱的身份证，老李却没留下来。老朱去问总台，总台说不曾受托转交他的身份证。

显然，老李把老朱的身份证揣走了。

"他怎么可以这样！"

老朱急得直跺脚。

老朱不知道，老李把老朱的身份证寄到杭州去了，寄给了老朱的老婆。老朱的老婆是老李的同学，当年也是一朵很好看的校花。老李还顺便给女同学写了一封信。

# 寻　找

○喊　雷

搽耳初级中学传达室门口旁边有一个失物招领箱。不知从啥时起，招领箱里挂上了一串钥匙，钥匙链上还拴着一张身份证。这就是说：钥匙与身份证准是谁一起拾来挂在这里让认领的。

有一天，刚从乡下转学来的二年级学生杨帆见到这串钥匙链拴着的身份证，问传达室的王大爷：“身份证上既然有姓名和详细住址，为什么不把钥匙和身份证还给失主呢?”

王大爷说：“身份证上面的住址是龙门镇新街 124 号。龙门镇离这里有 30 多里路，又不通公路，谁会管这闲事专门上龙门镇跑一趟?”

杨帆说：“这照片上的老奶奶把身份证和钥匙丢了，一定非常着急。难道就没人照这地址给这个叫刘妍的老奶奶去信，让她来把丢了的东西领回去?”

王大爷说：“买信封邮票要花 1 元钱呢，这钱谁掏?”

杨帆真想说“这钱我掏”，可他不敢说。因为他家里太穷。他妈妈去年病逝了，他是跟随进城打工的爸爸来这里上学的。交学费的钱是爸爸借来的。每天吃早点，爸爸只给他 5 角钱，用来买一个夹咸菜的烧饼。他拿不出 1 元钱来管这“闲事”，然而他每一次路过招领箱时都会不由得停下来看看那串钥匙和身份证上的老奶奶的照片。看的次数多了，他便觉得照片上慈眉善目的老奶奶似乎在对他说：“孩子，奶奶求你了！帮帮我吧!”

于是这钥匙和身份证就不仅仅是挂在招领箱上，而且也挂在了杨帆的心坎上。为了不再愧对这位老奶奶，杨帆开始实施每天节省一角钱的计划：他每天早上只买一个不夹咸菜的烧饼。两星期过去，他就节省下了一元钱。他用这一元钱买来邮票和信封信笺写了一封信，通知老奶奶到学校来领取失物。

星期日上午，杨帆骑着自行车去邮局送信。可当他正要把信投入邮箱时，却发现前天粘的那张邮票已不在信封上，显然是没有粘牢的缘故。

杨帆明白：这封信今天寄不出去了。这都怨他自己太粗心大意。为了惩罚自己，杨帆决定继续不吃咸菜，省下钱来再另买一枚邮票。可是后来他觉得这个办法不好：老奶奶丢了她随身最重要的钥匙和身份证，肯定急得不得了。不能让老奶奶再等了。杨帆突然想起：今天不正是星期天吗？这儿距老奶奶的家虽然有30多里路程，但骑自行车来回也不过大半天。于是他问清去龙门镇的路线之后，就跨上自行车出发了……

第二年夏天，杨帆虽然以优异的成绩在搽耳初级中学毕业，但因为家里穷，他爸爸不让他报考高中，要他去南方打工。

舍不得离开校园的杨帆，在预购了去南方车票的前一天，特意来到学校看望他的老师。杨帆刚跨进校门，传达室的王大爷对他说："你来得正是时候，校长正打算派人去找你。校长现在正在办公室等你呢。"

杨帆来到办公室，校长对他说："12年前从我们学校退休的刘妍老师上周六病逝了。刘妍老师有一封早经公证处公证过的遗嘱，要我们转交给你。"

杨帆接过这份遗嘱，见上面写着：

杨帆同学：

两年前，医院就查出我患了肺癌。我知道自己已不久于人世，为了寻找一个品学兼优的孩子继承我的遗产，我着意吩咐王大爷把我的身份证和一串钥匙挂进了学校的失物招领箱……大半年过去了，一个千余人的中学，竟然没有一个孩子愿意花一张邮票寄信给我或耗费几小时的时间帮我把“失物”送来。是你这个刚踏进搽耳初级中学校门不久的乡下娃给我送来了。我没有子女。我的家产仅仅是两间有数千册藏书的房子和4万元的存款。我决定都赠送给你。这笔钱大约可以帮你读完高中、大学。一年前你把这房门和屋内的箱子、柜子的一串钥匙和我的身份证交给了我，今天我就把这串钥匙和我的身份证交给你。寒暑假期，你就在这里复习功课吧。书桌对面墙上挂着我一张照片。照片上的老奶奶希望看到你从这间房子里走出去，成为祖国的栋梁。身份证就留给你当作书笺用，让它伴你阅读你将要阅读的每一页书刊。

永别了，孩子。

退休教师　刘　妍

杨帆看完这封信时，他那不住流淌的泪水把信纸都打湿了……

# 风格呀风格

○刘　齐

装潢公司的设计师喜欢胸有成竹地问顾客："您要什么风格？"

每逢有人这么发问，我就比较紧张。风格，多么的高雅！用到我身上合适吗？我一个老百姓，有一套不漏风的房子已经不错了，还要什么风格？如果愣要说风格，那我的风格就是与群众打成一片。

"但您还是得要一个风格。"设计师赵先生是个锲而不舍的人，见我眼睛发直，便循循善诱地说："您来个古希腊的怎么样？再不，德国的也成。或者法兰西？意大利？北欧风情？南欧格调？"

我可怜巴巴地说："我一个土包子，也没去过欧洲啊。"

赵先生笑了："所以我才建议您弄个欧式的，弄完坐下来一撒目，嘿！整个一个人在欧洲的感觉，飞机票都省下了。缺啥想啥，是咱人类的本性。农村大炕的布局最省事，给您来一个您干吗？"

赵先生西装革履，精神头挺足，只是袖口油污，气质通俗，也不像去过欧洲的样子。当然，信息时代，大家多是间接获得知识，没吃过猪肉，还没见过猪跑？他虽不洋气，但天天读一段欧洲的装潢学，也不是没有可能的。人不可貌相，那袖口没准就是看书蹭脏的。

见我默默无语，莫衷一是，赵设计师热情不减地说："这样吧，我先给您出个图，您看后认为合适了咱再装修，不合适我分文不取。"

不久图就出来了。画得挺复杂，又是边圈吊顶，又是壁炉式主题墙，花里胡哨，乱占空间，预算也高得惊人。我挺为难，下意识地搓手。赵先生则大度地说：“您不要没关系，××要了，我们决定把他家当样板间，将来欢迎您去光临指导。”

没人提供风格了，只好自己跌跌撞撞往前闯。别想欧洲别想北美，想一想你打算拿屋子干什么；哪一处放床，哪一处放桌子；洗手池多高，你个子多高；把这些想明白比啥都重要。渐渐就弄出现在这么一种格局，虽谈不上时髦，却也舒适实用，挺合自己的口味。朋友来参观，都说你这风格挺好啊。说得我直激动。风格呀风格，我居然也拥有了你。

××家也装修完毕。我去了一趟，发现赵设计师在原图基础上又有重大发挥，只见左边是日本的榻榻米，右边是凹凸槽的罗马柱，还有台湾的文化石，街头小饭馆的吧台，老员外后花园的月亮门……

主人得意而谦虚地说：“这叫综合式风格。那什么，还凑合吧？”

# 楼前有块地

○非　鱼

楼是县规划局的办公楼，地是一块长方形的地，200平米左右。

局长有一天突然就闲了，闲了的局长端着茶杯站在窗口朝下看，看着看着，就看出问题了。楼前的那块地怎么乱糟糟的，那么好一块地方，长的都是什么啊，月季、黄杨、榆叶梅，甚至还有两棵山楂树。

局长转过身一个电话叫来了行政科长："你看看，楼前乱成什么了？一点儿规划都没有，不是砸我们规划局的牌子吗？"

"是，是，局长您看种什么好？"

"草坪。这样既把办公楼的整体显出来了，也赏心悦目。"

行政科长答应一声，立即着手去办。刨树、挖花、平地，忙活了一个月，总算把地整出来了，然后又从省会一家花木公司买来草皮，行政科几个人撅着屁股栽了三天，终于把绿生生的草皮种上了，果然耳目一新。局里职工上班下班都说："还是局长眼力好。"

绿生生的草坪绿了一年多，局长退休了。局长退休了草坪又不能退休，不能退休的草坪突然有一天就引起了新任局长的注意，新局长一个电话叫来了行政科长："你看看，这么一大块地就种点儿草，浪费，一点儿规划理念都没有，不是砸我们规划局的牌子吗？"

"是，是，局长您看再弄点儿什么好？"

"奇石。这样才错落有致，既有古典园林的风韵，又有现代建筑的美感。”

行政科长答应一声，立即着手去办。本市、本省、邻省，有卖奇石的地方找寻了一遍，终于发现了两块状似中流砥柱的石头，拍了照片拿回去给局长一看，对奇石颇有鉴赏的局长一拍桌子：“好，就它了。”

费了九牛二虎之力，租用了吊车、特种车，总算把两块奇石运了回来，并安安稳稳地放置在草坪上。的确，原本平坦无奇的草坪有了起伏，有了古典的韵味和现代的美感。局里职工上班下班都说：“还是局长眼力好。”

奇石在草坪上安放着，引起了一些小孩子的兴趣，他们觉得爬奇石远比观赏奇石要有意思得多。于是，每天晚上，两块奇石上都爬满了高高低低的孩子，旁边站满了带孩子的家长。先是奇石周围的草坪，渐渐露出光秃秃的地面，接着像擀面一样，越擀越大，草坪就越来越小。

一年刚刚过去，一纸任命下来，现任局长调走了，副局长提拔为局长。新提拔的局长突然有一天也闲了，闲了的局长就又打起了楼前那块地的主意。他一个电话叫来了行政科长：“瞧瞧，瞧瞧，跟秃子头上贴了几块膏药似的，要多难看有多难看。一点儿规划理念都没有，不是砸我们规划局的牌子吗?”

“是，是，局长您看换成什么好?”

“雕塑。现代化的县城就要有艺术的气息。”

行政科长答应一声，立即着手去办。他从省美术学院请来了一位雕塑设计师，设计了一款抽象的铜质雕塑，像随手画出的一条蜿蜒的曲线，取名字叫“飞”。行政科长拿着设计图给局长看，局长一拍桌子：“好，就它了。”

雕塑很快就做好并运来了。行政科长又费了九牛二虎之力把两块奇石运走，谁也不知道他给弄哪儿去了，反正他把地方腾开了，“飞”安安稳稳地放置好了，真是很有艺术气息。局里职工上班下班都说：“还是局长眼力好。”

“飞”放好了，也没小孩子爬上爬下了，就是周围光秃秃的空地太难看，以前仅余的一点儿草皮，由于长时间没人浇水，也渐渐全部干死了。行政科长正在考虑是不是把周围的空地用彩色地砖铺一下的时候，他收到了一份文件，县“五城联创”指挥部发文要求，各单位门前一律绿化，要统一种植指挥部从美国引进的草种，一条街道一个样，全县上下一盘棋……

行政科长拿着这份文件，脸皱巴得像根苦瓜，仿佛可以拧出水来。

# 耳　神

〇何一飞

县公安局户政科科长陈卫国有个绰号叫陈聋子，给他取这个绰号的不是别人，是他的叔叔。

在这之前，陈卫国有一个警察系统都知道的绰号——耳神。陈卫国刚当上警察不久，他所在的刑侦队得到一条消息，一个潜逃多时的重要嫌犯已经偷偷回家。但当他和队友们深夜悄悄赶到嫌犯家时，却见嫌犯家空无一人，大门被一把大牛头锁紧紧锁着。难道嫌犯得到消息又跑掉了？正在大家疑惑时，陈卫国肯定地说，嫌犯没跑，就躲藏在家。带队的刑侦大队长问他为什么这么肯定。他说听到房内人走动的声音。队长不相信，问其他的队员，你们听到房内有声音吗？队员们都说没有听见。也许这是陈卫国紧张所致，这样的情况在潜伏和秘密抓捕嫌疑人时也曾经发生过，刚进警察机关的人在办案时尤其容易产生这种错觉。

看着手电光下充满自信的陈卫国，队长命令大家破门而入。一间间的房子都搜过了，没见着嫌犯，最后搜到了二楼最左边的房间，房间内没有人，只有一个平常用来装稻谷的木桶——一个有半人高的、能装近千斤稻谷的空木桶，队长让人打开木桶，果然在空木桶内抓到了嫌犯。审讯时，嫌犯交代他故意让家人离开并从外锁上，造成家里没人的错觉，准备天亮就逃，没想到警察来得这么快。警察来后，他悄悄藏到木桶中，一动也不敢动。这一下，大家都服了陈卫国，说他是耳神。后来有人给他做了测试，陈卫国的耳朵异常灵敏，听力惊人。

陈卫国的叔叔给他取“聋子”绰号的时候，陈卫国已经是刑侦大队的副大队长。陈卫国的叔叔的小儿子跟人争执，把人给打伤了，抓进了看守所，被打的人经过法医鉴定是轻伤。陈卫国的叔叔到了陈卫国家，要陈卫国帮忙找法医把鉴定给改了，改成轻微伤。陈卫国的叔叔说了很久，最后问陈卫国你都听清了吧？陈卫国说叔啊，我一句都没有听见。陈卫国的叔叔很是气愤，当场把陈卫国家的客厅噼里哗啦给砸了，走的时候还骂个不休——你是个聋子，是个无情无义的聋子，陈家没有你这样的人。公安局的局长知道这事后，对陈卫国说，卫国啊，你聋得好。

谁也没想到有耳神之称的陈卫国真的成了聋子。

水镇开瓷器店的王老板的女儿，跟岭脚镇的一个男的谈上了朋友，后发现男的是在黑社会中吃刀口饭的人，王老板的女儿就跟他断了往来。男的三番五次带人带刀来王老板家要人，王老板一家惹不起，就偷偷把女儿送到广州，进了王老板妹妹那个厂子做事，又赔给那男的一万块钱，以为这事就这样了结了。

腊月二十八，王老板的女儿回家过春节，腊月二十九下午，男的一个人提着个包包来了，要王老板的女儿跟他一起回岭脚镇。王老板的女儿不肯，说宁死也不跟他走。男的凶悍地说：不跟我走，我炸死你，叫你死也是我的人。说着一把就拉开了包包，里面全是雷管、炸药。王老板和家人吃了一惊，手忙脚乱地往外跑，可是女儿没跑出来，于是赶忙报了警。已是水镇公安分局局长的陈卫国接警后立刻带人赶到，男的已点燃了导火索，导火索约 6 厘米长，“嗞嗞”作响。形势危急，陈卫国三步并两步急奔上去，叫围观的人和王老板家人赶快离远点，自己却奋不顾身冲了进去。男的正嚣张着，左手拿着炸药包，右手抓住女孩要跟她同归于尽。陈卫国跑上前一脚踢中男的右手，男的一疼就松开了右手，女孩趁机逃了出来。陈卫国还要抢炸药包时，已来不及了，只听“轰”的一声，炸药爆了。男的当场炸死。陈卫国命大，经省里的医院抢救，命是保住了，只是两只耳朵被炸聋了，成了真正的聋子。

陈卫国伤愈后不能在一线工作了，局里把他任命为户政科科长。云鹤社区七十多岁的吴老爹要办低保，可是他的户口簿早就丢了，需要重新补办。陈卫国知道后对吴老爹说，吴爹你年纪大不要跑来跑去，我来给你办。

这天吃过晚饭后，陈卫国就带上刚办下来的户口簿慢慢瘸着去了吴老爹家，陪他说了一阵子话，回家时已是夜深人静时分。在经过云鹤路刚刚封顶的云鹤大厦时，他隐隐约约听到楼上有女子的哭泣求救声，停住脚步细听又没有了。他怀疑自己出现了幻听，但警察的职业敏感促使他不由自主地走向工地。好不容易爬上五楼，并没有发现什么，陈卫国细细想想就往六楼去了。最后他在六楼发现了情况，三个年轻男子正在轮奸一个女孩。陈卫国给110报警，表明身份后冲了过去，一番搏斗之后，跑掉两名歹徒，另一名歹徒被陈卫国死死按住了，不过陈卫国也被歹徒的尖刀刺中脾脏，引起了大出血，如果不是抢救及时，他也就报销了。

人们都很奇怪，陈卫国不是耳朵聋了吗？他怎么听得见女孩的求救声呢？

还是公安局局长说透了。局长在给陈卫国的记功会上说，一个肩负责任和使命的警察任何时候都不会聋！也永远不会聋！局长还对陈卫国说，你是真正的耳神。

# 同学介一

○王海椿

我曾在一篇小说中写了我曾经的一个朋友，做了一笔大生意，赚了一笔大钱，生活由此步上康庄大道。但他阔了脸没变，常来找我聊天儿叙旧，我感激涕零。每次他走后，我都对妻子说，多好的一个人哪，发财了还记挂咱穷人。可是，当我买房子想向他借一万块钱时，他就像响尾蛇一样，摆了一下尾，“哧溜”一下从我的生活中消失了。

后来我琢磨出一个道理，很多曾经的熟人富了以后，往往蹿到你面前，胸脯一拍：“有困难，找兄弟，绝对帮忙！”其实是不到你身边晃悠晃悠，显摆一下，他不甘心。当你真有困难找他时，他就像我那位朋友一样变成响尾蛇，“哧溜”一下从你身边溜走了。

不过，事情也有例外，我有一个同学就不是这样的人。

这个同学叫介一。

介一的创业史在此我不赘述，大致情况是，我们高中毕业后他就去了南京，先是做小生意，现在是一家集团公司的老总，资产上千万。

介一为人低调，起先一帮同学很少有人知道他发了，但知道他在省城，有事来南京，总不免和他联系一下。

他见同学，从不开车，也不预订酒店，而是打的或步行到约定地点，然后和你边逛边闲扯，然后随便进一家饭店，喝两杯。当天不走，他就给安排旅馆，从不把同学带到他公司去。

介一这么做，自有他的道理。他说大家生活得都不容易，如同学来找你，你搁那儿显摆，什么都五星级待遇，就会增加其自卑感，认为自己生活不如意，以后不再找你玩。还会给对方带来一定的心理压力，影响其正常的生活，甚至给整个人生都罩上阴影。

我很赞同介一的观点，我们有一个至今还在老家当农民的同学和介一相处得很好，每次来省城找介一，介一都在平常的饭店招待他。但他们聊得投机，玩得开心，介一从不炫耀自己事业上的成功，总是说在外混日子不容易，自己打拼多年，累啊！所以至今他们还保持着良好的关系。

然而情况也有例外。一次，一个在家乡机关做个小干部的同学来省城开会，和介一联系上了，介一就领他去了一家中档酒店。回去后，这个同学就说，听说介一在省城混得如何如何，也不过如此嘛。

后来他又听说介一的公司开得很大，每天营业额都要运钞车押送，这个同学就更不满意了，说有钱人都是吝啬鬼，越有钱越吝啬，我去找他，他竟然拿20块钱一瓶的酒招待我。在这里，我们哪次进饭店不是剑南春、五粮液，茅台也没少喝哪！

我了解介一，他一点儿都不吝啬。我和介一已相处多年了。我说是作家，其实也就在省城一个区的文化馆写点宣传材料、小戏什么的。介一也爱好文学，常来向我讨经，我也不客气地对他的作品进行点评，有时把他批得狗屁不是，但他总是心悦诚服。他还经常从我这里借书看，倒不是他不愿买书，而是我有买书的喜好，什么书我这里都能找到，他也就不用去费那个心了。在一起聊文学，然后随便去一家小饭店喝酒，大多是他埋单。我要付钱，他就说，你我之间不要分得那么明。我所有的书都是从你那儿拿的，而且省了多少买书时间，不是钱吗？还有你对我创作上的指导，那是钱买不来的。后来，我也就不再和他客气了。有一次我父亲病了，需做手术，一下子拿不出那么多钱，只好找介一，他二话没说，拿给我两万块。

尽管介一为人低调，他在省城是一家大公司的老总还是被好多同学知道了。这次，两年一次的家乡同学聚会，有几个同学闹着非得让介一做东，介一就不好不参加了。这天，同学们聚在家乡的一家酒店，介一来了，大家互相问好，握手寒暄，交换名片。几年不见，很多同学都有不少变化，事业上也有不少长进，虽然没有特别的大官，但名片上挂着局长、科长、校长、总经理、秘书等头衔的还是有不少。我一看，介一的名片上却写着：你的同学——介一。没有打任何头衔。

宴会前是同学挨个儿发言，轮到介一上台，他刚说了一句大家好，就双手捂着脸，把头埋在讲台上。大家不知他怎么了，接着听到好像是抽泣声，接着他哇的一声大哭起来。哭了好一会儿，他才抬起头来，擦擦眼泪说："其实，我这次来，就想在同学们面前大声哭一回，不为别的，只为自己受的委屈太多。大家也许认为我是成功的，可成功的背后，有多少辛酸和苦痛？因为很多事不能像同学间那样去相处，很多苦也不能像同学间那样去叙说，只能一个人咬牙去扛。我也知道，我们都长大了，要直面人生，不可能停留在校园美好的回忆和少年的纯真之中，但是，真的，我向往和怀念我们相处的那段少年时光。虽然我们也许是成熟了，但希望我们依然怀有那份少年情愫……由于人生的目标不同，我们的经历、职业也就不同，但我想说，不管钱多钱少，职高位低，我们永远是同学！"

介一的话博得大家热烈的掌声，有几个同学情不自禁地相拥而泣……

# 思　念

○朱　宏

我们在离家800里的地方住下了，300天不见老婆。为了完成一个工程，没法呀。

老婆生日这天，少了我这一半，自然是不会浪漫了。但是我有办法送给老婆温馨的感觉，我用手机短信在电台点了一首歌。大伙儿和我挤在收音机前听歌，我知道老婆也在那边听着。一曲终了，大伙儿默默无声，屈文风眼里竟盈满了泪水。阿三说嫂夫人过生日，你激动个啥。我把手机递过去说，你们也来一个。屈文风说，不用，普通手机短信一毛，手机点歌两块，贵了一块九。

屈文风这帮人是我招募的临时工，现在有个新名称，叫农民工。屈文风说因为他家祖上出过那位大诗人，所以爷爷就给他取了“文风”这个名字。因为屈文风家贫穷，最终没有把屈子的文风发扬光大，但是贫穷并不妨碍他成为一个好木匠。有一点我觉得怪异，他的老乡不叫他文风，而叫他凤姐。一个胡子拉碴的大老爷们儿，何故被这样戏谑？

下了班的时间不好打发，于是男人堆里的生活内容就只剩下了“酒色”二字。酒是那种被戏称为“裸体大曲”的低档酒，尽管价格低廉，却一样能烧得人亢奋。我们一边喝着酒，一边满嘴跑着荤段子。有一天，喝光了两瓶酒以后，阿三斗胆向我提出了一个要求，想看碟片。我说，好办。于是到音像店借了影碟机，又租了两部片子。

尽管片子不算特别精彩，但是数双布满血丝的眼睛还是舍不得眨一下。人群里唯独少了屈文风。趁着上洗手间的工夫，我看见他正在另一个房间偷偷摸摸地做着什么。

凤姐。我喊。屈文风吓了一跳，手里的东西也来不及藏了。一团杂色毛线，毛衣已经织了一半。没想到屈文风那双掂斧子把的粗手还能捏住毛衣针。我说，怪不得人家喊你凤姐。

学哩，俺老婆手有残疾，俺爹俺娘的毛衣都是我打的哩。屈文风不好意思地笑笑，脸上的皱纹更深了。我说，你咋不去看片？屈文风说，看了肚子照样发胀，有啥用。

既已被我发现了秘密，屈文风不再背着我。晚上喝了酒吃了饭，大伙儿东一团西一堆地聊天儿、下棋，屈文风则坐在油漆桶上，趴在床沿织毛衣。他的手不像女人那样灵巧，仿佛在用筷子乱戳，有时拿木工用的折尺量一下。一个月过去，毛衣竟然有了样子。

经理，我想请个假。屈文风说。那是一个中午，秋风卷着落叶。

我说，可以。

屈文风说，经理，你得陪我去。

于是我们去了邮局，我帮屈文风填写了包裹单。毛衣寄给了史小菊，屈文风的老婆。屈文风像是完成了一件大事，长吁了一口气。

日子在按部就班地过，工程已经接近尾声。有一天客户递给我一个包裹单，说是转寄给我的。看着单子落款上村镇的名字，我知道这是屈文风的东西。

很快取了回来，屈文风躲着大伙儿让我给他念包裹里面的信。信上的字写得很漂亮，口气也是文绉绉的。屈文风说肯定是二爷代写的。

**文风：**

**见字如面。东西收悉，长短亦合体。天大寒，在外劳作辛**

苦，当注意身体，切勿感冒。双亲及孩儿均好，勿念。今寄上瓜子仁儿一包，为你所喜欢。余不多述，唯盼春节团圆。小菊字。

屈文风听这些的时候，面无表情，眼睛望向了远方，直到烟头儿烧了嘴唇才回过神来，然后接过信纸，看了又看。

这天晚上，大家围坐在一起，仍然是喝“裸体大曲”。酒菜上齐的时候，屈文风从房间的一角钻过来，给每个人面前捏了一小撮瓜子仁儿，油亮亮的。看得出来，他的兴致很高，眼角流溢着幸福。有人立刻就着瓜子仁儿喝了起来。

吃吧。屈文风对大家说，她没事在家嗑的。

呸，你咋不早说，多不卫生。阿三全部吐了出来。

屈文风端着酒碗的手僵在了半空，好一会儿，两行热泪滚了下来。

# 精英和庸众

○苗　炜

我开着车，带着爹妈去良乡看我姑姑。我姑姑原来住的那个地方叫纸坊村，原来有田，每次去都能从田里带回来白薯和玉米。不过，那是好多年前的事儿了。最近这些年去，那里已经没什么人种田了，也看不见田地了。因为城市化的进程，良乡已经盖起来很多住宅小区。要一万多一平方米，我姑姑也住上楼房了。

我下了高速就不认识路了，旁边都是新盖的楼。打电话给我表姐夫，他指引我找到他家。在一片大学新区和一片住宅新区的边缘地带，我看见一大片瓦砾，我姐夫的几间大瓦房还矗立其中，他要当钉子户，得不到适当的赔偿决不搬迁。姐夫平常开“黑车”挣钱，有一天拉客人到一僻静处，被埋伏在那里的两个喽把车给砸了，姐夫说：“我明白，想要到合适的钱，就得抱着必死的决心。”

这话稍微文雅了一点儿，我忘记他原话是怎么说的了。我是个精英，天天看《纽约客》，看《经济学家》，看外国小说啥的，实在对劳动人民的话语不太习惯。反正他的意思是，他打算跟村支部书记及其背后的势力斗到底。我姐夫当然算草根儿，但他的闺女有出息，大学毕业后在中央电视台当记者。我姐夫问我：“你这也算在媒体工作……”我又忘了他是怎么说的了，言下之意是让我主持正义。他闺女在中央电视台工作都没法儿替他出头，何况我这么个杂志编辑。姐夫又问：“你在市委认识什么人不?”

我更没法向他解释了。像我这样的精英，是极力避免和当权者发生任何关系的，别说市委了，我连居委会的人都不认识。

在我这姑姑这支，我有三个表姐和四个表哥，自然也就有三个表姐夫和四个表嫂子，他们有宰猪的，有教书的，还有刚被清退的“民办教师”，正在争取自己的权益。他们也都明白，所谓媒体，都是替官府说话的，偶尔能替自家人说说话就不容易。我这位“黑车姐夫”带着我们去看姑姑，两年前刚修好的路看着不错，但已经有不少坑了，姐夫说了：“现在的路都不是为子孙后代修的，谁搞到工程挣着钱，自己的子孙后代就富裕了。”

我姑姑住的那楼房，有个挺美丽的欧洲名字，对着正在修建的轻轨。停车场的工作人员都是原来的乡亲。原来村子里走亲戚，谁还要停车费啊，可现在也要进门刷卡。我姑姑那房子是 90 平方米。客厅里摆着张桌子，我那位被清退的民办教师嫂子在给我们预备饭菜，有特别新鲜的羊头肉、羊肚儿。我姐夫拿出“牛栏山二锅头”，他每顿饭喝四两；我杀猪的那姐夫每顿饭喝半斤，喝了点儿酒他说话的声音就更大。我姑父耳背——他 80 多岁了，耳背很正常。姑父早年间在乡村中学里干事儿，他是“地富反坏右”中的某一类，具体哪一类我又忘了，是不是受过迫害，我不能确定。像他这样的小人物能不能当得起“迫害”一词暂且不去探究，但他肯定是受过欺负，还被欺负了好多年。村里有什么脏活儿累活儿，都由这帮“地富反坏右”去干。可现在，这位姑父拉着我爹的手畅谈祖国的美好，他先说世博会如何壮观，然后又说中国军力现在是世界第二，“没人敢欺负我们了”。我虽然说对军事不太了解，但也知道，中国军力谈不上什么世界第二。不过考虑到我姑父耳背，我要和他讨论军事实力的话就要扯开嗓子吼，像我这样的精英总是温文尔雅地讨论问题的，不习惯大声说话。如果说精英一定要担负启迪民智的义务，那我就要和我姑父讨论——即便我们军力第二，没人敢欺负我们了，可你当年没少受欺负啊？即便你大仁大义既往不咎，你女婿的车刚被人砸了，他想多要点儿补偿款都准备豁出性命了，那么谁在欺负他呢？他觉得自己是被谁欺负呢？

我姑父我姐夫都不会上互联网，可能连庸众都算不上。但我琢磨着，全国像他们这样的人大概有八亿，你要让我这个既看过哈维尔也看过昆德拉的人去启蒙他们我可干不了，那不成了搞农村运动的地下党了嘛。我连我姑父都启蒙不了，他觉得他住上楼房不用下地干农活儿了就非常幸福，国家军力第二就非常自豪。我不这么看。我怎么看和他老人家没关系。

# 女蜘蛛人

〇罗伟章

悬绳一吊，就爬在高楼大厦的外墙上擦玻璃。

这群人被称为“蜘蛛人”。

这活儿天生就是男人干的。

可是你作为一个花容月貌的女子，偏偏成了蜘蛛人。

许多人猜度你的想法：你可能失恋了，或者遭遇了别的什么不幸。

总之，你已厌倦了大地上的行走，只愿意生活在天上。

不知道对不对。

但有一点是清楚的：当滑轮把你提上去，悬在半空里，你就学会了轻视。

地上的人如蚂蚁般匆忙，也如蚂蚁般低贱，生命短暂而没有意义。

其实你早学会了轻视。你曾经干过不少工作，但你都觉得那些工作配不上你。你渴望体味另一种人生。这种人生居住在城市的深处，居住在宏伟奢华的大楼里。你身份卑微，无法窥探那神秘的角落，于是选择了做蜘蛛人。

你默默无言地劳动着，目光往你感兴趣的地方扎去。但玻璃太厚，你的目光进不了他们的世界——那是你向往的世界。

但你可以听到里面的声音。

——鸿生楼B幢23层：

“今天你就走人，这里不再需要你了。”说话的明显是老板。

被炒的职员有了片刻的沉默，之后带着哭腔说：“能再给我一次机会吗?”

“机会有的是，那是在别处。至于我这里嘛，没有你的位置了。”

——锦青苑C幢17层：

“听说蔡先生中彩啦?”一个男人的声音。

“中啦！不过，中了10元。”蔡先生的声音。

前面说话的男人叹息道：“唉，你倒是中了十元，我上周买了五百块钱的，全都扔到水里去了。”

“我们都没那个命啦。”蔡先生说，“昨天的晚报你看过吗？说深圳有个家伙，花8块钱买同一注号码，一次就中了四个500万!”

一阵咋舌之后，两人发出同样的感叹：“不要说中四个五百万，就是中一个，我做的第一件事就是辞掉这该死的工作!”

——潮蓉写字楼23层：

一个人在大声读英语。

另一个跑进来说：“经理来了。”

读英语的人安静下来，大概投入了他的本职工作。

——今日花园A幢15层：

“今晚能来吗?”女人的声音。

“不，不能，我还有急事需要处理。”男人的声音。

“骗子!”女人尖厉的声音，“你害得老公离开了我，然后你就躲到你老婆怀里过清闲日子，享受幸福生活了？休想!”

一年之后，你不再做蜘蛛人了。

你抛弃了过去所有的痛苦、怨恨和蔑视，学会了宽容、理解和热爱。

人世间的生活大同小异，不管天上还是地下，都充满了欲望和挣扎。

只有热爱能够超越它们。

# 种树的女人

○赵明宇

女人的性子犟，非要嫁给毛乌素沙漠边缘的男人。

出嫁那一天，婚车沿着曲曲折折的小路，从日出走到日落。女人一下婚车就惊呆了，旷野上只有一座低矮的土房子，环顾四周，茫茫沙海，满目苍黄，摇曳着稀稀疏疏的几棵蒿草。这就是自己的家吗？女人的心一紧，脑海里比眼前的沙漠还要空旷。

院里有一头猪，一群羊，打量着陌生的新主人。

晚上睡觉的时候，男人把一把铁锨放在门后。女人疑惑地望着男人，男人没说话，送给女人一个神秘的微笑。

夜里刮起了大风，风卷起沙漠，魔鬼一样呼啸，像鬼哭，像狼嗥。女人没有见过鬼，也没有见过狼，再也想不出比鬼和狼还要残酷的形容词。女人用被子蒙上了头，铁了心，熬到天亮，要逃离这个地方。

天亮了，风也停了。女人去开门，吓一跳，门被沙子堵上了，像是被埋进了地窖。男人不急，拿起铁锨一阵忙活，挖洞一样，把门挖开了。女人到院里一看，院里变了模样，矗起一个小山一样的沙丘。

天啊，这还是昨天看到的那个家？屋后的沙子堆积，和房檐一样高，猪踩着沙子，上到了房顶上。

女人哭了，这鬼地方，咋过啊。

男人说，你后悔了，还来得及，现在就可以走。

女人看男人一眼，犟劲儿又在血液里蹿起来。女人说，我要和沙漠较量。

男人被吓了一跳。男人说，祖祖辈辈都是这样过来的，你还想咋？

女人说种树。

男人说，沙漠里面种树，你疯了吧？

女人真的疯了，把猪卖掉了，又卖了几只羊，换回一捆捆松树苗。女人找一辆架子车，带上水和吃的食物，拉着树苗走向沙漠深处。

男人来帮她，搭起小帐篷，挖一个坑，又挖一个坑，把树苗的根部装到塑料袋里面，浇水，然后填土，踩实了。

夜里下大雨，女人想，树苗该成活了。一阵大风，刮得帐篷像断线的风筝一样，上天了。雷电一闪，女人抱紧了男人的肩膀，瑟瑟发抖，像一只受惊的羔羊，任凭雨水冲刷。

刚栽下的树苗被雨水冲走了，她被淋病了，欲哭无泪，发誓说再也不种树了。

向家走，脚下一蓬绿色。女人问男人：这是啥？男人说是沙柳，沙漠里的柳树，三年砍一次，把根留下，来年长得更壮。她是看不起柳树的，家乡的柳树柔柔曼曼，像个娇气的女人，而沙漠里的柳树却是越挫越勇，如此的顽强，让她肃然起敬。

她转过身又向沙漠里走，男人在后面跟，喊着她的名字。她不回头，把被雨水冲走的树苗捡回来，重新栽好。

女人回娘家借了一笔钱，全买成树苗栽进沙漠里。树苗发芽了，绿色的小脑袋在风中摇晃着。女人笑了，把家安到了沙漠深处，承包了三千亩沙漠。

女人到城里找朋友贷款。朋友说，你疯了？把钱扔到沙漠里，会血本无归的。

女人说我才不疯呢，我这一辈子不能让沙漠折磨死。

女人白白嫩嫩的皮肤被风沙打磨得粗粗糙糙，手掌像树皮。她的房子已被浓荫簇拥，屋前有池塘，养着一群鸡，一群鸭，屋后是郁郁葱葱的苗木基地。

她还鼓励别人种树，一片绿和一片绿连接起来，绿色在一点点延伸。

记者来到内蒙古鄂尔多斯市乌审旗，采访治沙英雄殷玉珍的时候，问她栽了多少树，这个黑黑瘦瘦的农家女人指指身后的森林，憨厚地笑着说，数不清了，也没有数过。

# 做　人

〇谢大立

陈明清出狱的第二天，郑关东就找来了。郑关东带着几个混混儿把陈明清堵在小区的门口说，三条路由你选：一是从我的胯下钻过去，从此你是孙子我就是爷；一是再对你爷我动拳头，再次回到牢里去；一是让人把你横着从这里抬出去。

陈明清站着不动。

你既不钻爷的胯，也不对爷动拳头，看来你是看中第三条路了。郑关东嘴巴一歪，混混们一哄而上，乱棍就打到了陈明清的身上。陈明清真的让人横着从小区里抬了出去，抬进了医院。

凭陈明清的身手，这些人是伤不了他的。当初他们就被他一个一个地打趴在地上，太恨，他对躺在地上呻吟的郑关东的头补了一脚，腿关节上擂了一拳。那一脚让郑关东昏迷了整整一星期；那一拳废了他的一条腿，落下了终生残疾。

在医院里包扎时，邻居们要报警，陈明清不让。他选择郑关东给他指出的第三条路，是想化解掉昔日的仇恨，为日后的好好做人扫除一大障碍。不报警，还是为了“化解”二字。

万万没有想到，他从医院出来，郑关东又带着人来了。他望着游荡在门卫周围的他们，一阵摇头叹息后，悄悄地从后院翻墙溜出了小区。他住院时，这伙人向抬他上医院的邻居家扔西瓜皮，邻居们已有议论：小区往后又无宁日了！他不能搞得大伙儿不得安宁。

能去哪里呢？不由自主地转到了服刑的监狱。在门口转了两圈，吴狱长出来了。几天前吴狱长就是在这里对他说那番出去后好好做人的话的。他跟吴狱长说了郑关东他们，最后说，吴警官，你还是让我回来吧！吴狱长说，你现在就回去，他们要再打你，你就还手，出了事我负责。只是在你把他们制伏后，不要像上回那样补那一脚一拳……陈明清怔怔地望着离去的吴狱长，心里说，你要我回去跟他们打架……

往回走时腿有些不情愿。他真想留在这里不走了，真的是很留恋在这里度过的那段日子。刚到监狱时，牢头不让他吃饭，让人分吃他的饭。他夺过牢头的饭就吃。牢头说，吃完了，好，看我怎么让你吐出来！牢头刚说完，一伙人朝他扑过来，他双臂一扩，扩倒了那些人，把牢头踩到脚下说，都给老子听好了，往后，谁多吃别人的一粒米都不行……

随后的日子里，他被调换了几次牢舍，那些狱霸都被他以同样的方式制了个服服帖帖。吴狱长就让他协助狱警管理犯人。他的刑期是三年，才刚刚过了一年，吴狱长就四处活动，给他减了刑。

在小区门口，陈明清又让郑关东截住了。郑关东说，仍然是那三条路……陈明清又像上回那样站着不动，郑关东又是嘴一歪，他的兄弟们又向陈明清扑过来。在棍棒就要打到陈明清的身上时，他两臂一扩迎过去，那些棍棒就粘在了他如吸铁石一般的胳膊上。就在这时，陈明清的后背被一把刀抵住了，刀是从郑关东的拐杖里弹出来的。陈明清正要拼，一声“不准动”，三名警察出现了，喊“不准动”的接着说，把使刀杖的给我铐了，直接带到拘留所去。

警官向陈明清伸过来手，还认识我吧？一年多前就是我送你进监狱的。凭良心说，当初谁都不忍心送你进去，可是谁都没权不让你进去，因为你那一脚一拳过杠了，犯了故意伤害罪。你当时若能像现在这样拿捏得好分寸，谁拿你都没办法。不过你现在又似乎太软了点。好好做人，不是要你在坏人面前夹着尾巴做人。法这个东西光守是不够的，还要懂，会利用法律武器保护自己……

陈明清望着如神兵天降的警察，说，谢谢……警察们说，你谢吴狱长吧。吴狱长对你真好，他叫我们转告你，不光要好好做人，还要挺起胸膛来做人。陈明清说，吴狱长？警官点点头说，难道你就没想过我们迟不出现早不出现，偏偏在节骨眼上出现有些蹊跷吗？这一切都是吴狱长安排的，包括你在监狱里的一切……我们警察也是人……

陈明清的眼里又一次噙满了泪。

# 包 围

○赵悠燕

A县的旧城改造工程正如火如荼地进行，十几辆铲车挥舞着巨臂张牙舞爪地伸向那些断壁残垣，不时响起砖墙倒地的哗啦声，随声扬起漫天的灰尘和烟雾。城建局局长方行戴着一顶安全帽站在拆迁现场，整个人灰头土脸的。他大声地跟周围人说："先安排人把道路清理出来，把那些废渣处理掉。还有，这里可是学生上下学的必经之路，趁着双休日把现场清理干净，务必保证学生们安全！"

正说着，前面轰隆隆的铲车声戛然而止。方行正纳闷，只见一排未拆的房子前围着一大群人，吵吵闹闹声中夹杂着女人的哭声和男人的骂声。方行心里一沉，莫非……

方行带着人跑到人群前，有人大叫着说："为什么要截留我们的拆迁补偿款？"女人哭骂道："罪过啊，那是我们的血汗钱，都让你们这些贪官拿去吃掉喝掉了！"

方行想：这事以前就跟拆迁户们通过气，当初大家都是乐颠颠地签了字拿了钱走人，怎么这会儿又生出事端来？他挥挥手大声说："大家静一下听我说。对于你们反映的截留拆迁补偿款的事，我会给大家一个交代。等会儿，我们的财务科科长会把拆迁账簿拿过来，你们可以选出几个代表来查账。如果事实确实如大家所说，我方行立马就地辞职！"

见方行话说得这么硬，吵闹声低了下去，大家静等着财务科科长拿账簿来。

等方行到家时已是夜半时分，妻子揉着睡眼从沙发上坐起来，很快，从厨房里端出一碗热气腾腾的莲子羹。方行一屁股坐下，边吃边说："回家真好，有家的男人像个宝啊。"

妻子笑了，说："瞧你，光会贫嘴。哎，听说今天很多拆迁户聚集起来闹事，给你这个局长出难题了是不？"

方行说："你老公是谁啊，能被这个事情难住？查账行啊，我方行一不拿二不卡，光明磊落，身正不怕影子斜嘛。"

"还有啊，大家说你拿了钱给自己买别墅。天晓得！咱这房子都快住二十年了，人家都赶着买新房子，咱没钱买。别说别墅，能换套大的我就心满意足了。"

"怎么，又在怪你老公没本事？不是咱爸生病把咱们积蓄花光了，或许换套新房子还是有希望的。"

妻子说："方行，当初你就该听我一句劝。政府不是正逢换届选举吗？人家都说你这个城建局局长论政绩论才能都有希望当选副县长。这节骨眼儿上就不该做这个拆迁工程——得罪人不说，闹不好你连这个局长都当不成！"

方行说："我也奇怪——本来这拆迁补偿款都是早就定下来的事，已经过了这么久，怎么这事又给闹腾起来了？"

妻子说："你这么说让我也想起来一件事：昨天有人打电话给我，说论坛上有个帖子说咱趁着女儿考上大学之机大肆收受钱财。我去看了，虽然没有指名道姓，但只要是这个县里的人都知道说的是你。"

方行放下碗，身子重重地往椅子上一靠，说："一个副县长的位子，竟然会搅起这么多的风云。"

妻子说："幸好，当初我听了你的劝，把那些人送的钱全给退了。"看了方行一眼，妻子又说："你看，这事复杂吧？有多少人对这个位子虎视眈眈。人家都在跑关系，到处打点。工作呢，无过即是功。哪像你这么实心眼儿啊。”

方行打了一个哈欠，说：“行行，老婆，我听你的话好吧？啊，我实在太困了，去睡觉了。”

躺在床上，方行却怎么也睡不着。虽然这次自己也被列入副县长人选，但自己压根就没想过使用手段把对手打下去。他的脑子里像放电影似的打出一个个镜头：竞争的对手、上访的人群、匿名的电话、论坛上的帖子……他觉得自己已被这样的怪圈包围着，左冲右突，满头大汗，筋疲力尽。跑官？算啦，自己可不想把官做大把人做小了，大不了还做一个普普通通的局长。明天，该干什么，还干什么。

想到这儿，方行全身心放松下来。慢慢地，房间里响起他响亮的呼噜声。

# 作　弊

○乐　华

我的手机是个老式的诺基亚，短信接收时候的响铃功能不能调成振动，这点很要命，尤其是考试的时候。

期末考试前夕，好多人都胸有成竹。我当然知道他们为什么不担心了，他们的手机都是最近一两年买的，短信都可以调成振动，接收信息神不知鬼不觉，不像我的手机没有振动功能。

第一门是英语，我们已经安排了高手在其他考场，说好只要她一做完，就把答案用手机发过来。考试时间过了一个小时的时候，口袋里“嘀嘀”一响，我立刻精神大振，救命的短信来了。

要命的是监考老师也听着动静过来了。我大大方方地从另一个口袋里摸出便携式电子闹钟，摆在课桌上。

老师过来问我怎么回事，我指指闹钟：老师，我手表前两天丢了。这招儿是从战争片里学的，叫“不打无准备之仗”。

老师转身的瞬间，20 个选择题答案抄完了。不到 10 分钟，手机再次“嘀嘀”作响。我装作若无其事，等老师走近，我才拿起闹钟当面拆开，卸下电池，拧开后盖，看了看，很奇怪地说，怎么回事啊，老响，可能坏了。老师敲敲我的桌子，让我注意点。

卷面上的选择题还剩下不多的空白，我估计再发一次就成了。这次手机响的时候，监考的老太太生气了，怒冲冲地奔着我扑过来。

我没等她走过来，已经抢先一步气急败坏地抓起闹钟使劲儿在桌子上磕：“这是什么破闹钟？响起来还没完没了！”

等老太太过来，我直接把闹钟送过去：“老师您把闹钟拿走吧，要不太打扰考场安静了。”

老太太松了口气，接过闹钟小声说：“还有好多时间呢，好好答题吧。”

此时我的卷面呈现一片大丰收的景象，我开始给周围的兄弟姐妹传小条。

这时候要命的手机竟然“嘀嘀”又响了！老师眼锋往这边一扫，我冷汗立马就下来了，此时我的口袋里除了卫生纸连个硬币也摸不出来了。

我急中生智，转头问周围人：“你们也有人带闹钟了？”周围的哥们儿都很配合，一个个满脸无辜状：“没有啊！”

我也纳闷儿：“那是什么声音啊？”老太太走过来一声断喝：“不许说话！”我趁机赶紧起身，说老师我交卷。

没过几分钟，同志们陆续都出来了，考场外彼此击掌庆祝，大有革命胜利成功的意思。

这时有人问我，最后一个信息到底是谁发的？我掏出手机，阅读信息，绿莹莹的背景灯下，清清楚楚地显示出7个小字：“答案发错了！别抄！”

# 低保主任

○孙文发

街道办事处的杨主任那天火大了，一上班就把星光居委会管低保的副主任王欣叫到办公室，劈头盖脸地冲她吼。

原来，有人告王欣的状，反映她挟私报复，故意刁难那个办低保的孙大宏，还要掐断人家的活路。平常人也就罢了，偏偏孙大宏是个厉害主，外号孙大圣。孙大圣年轻时偷过、骗过，后来感觉偷和骗都不过瘾，就趁深更半夜抢劫。逮住了，蹲过十几年监狱。前两年得了脑血栓，落下半身不遂的毛病。前天，他拖着半边不灵便的身子来找杨主任，说王欣官报私仇，不给他办低保。说着说着，孙大宏要当众脱裤子拉屎。幸亏杨主任拦住他。孙大宏还不依不饶，叫喊着要把大粪涂到王欣家大门上……

杨主任批评王欣的时候，王欣一声不吭。杨主任刚调来不久，不了解她与孙大宏的恩怨，她心里的委屈向谁说呢?

王欣夜里睡不着，反反复复想一件事情：多年前，王欣的女儿晓云在商业街开了家服装店。小本生意，经营起来十分艰难，主要是缺乏货源。一天，孙大宏走进服装店，对晓云说，他认识深圳一家名牌服装厂的人，能进便宜的正宗货。晓云信以为真，带着办货的钱就跟他上了开往深圳的火车。哪知道，孙大宏在她饮料里偷偷放了安眠药，趁晓云睡熟的时候，偷了她的货款，中途下了火车。可怜晓云醒来，孤零零的身无分文，肚子饿得咕咕叫。王欣知道后一下子气昏了过去。她恨死了孙大宏，总等着有一天见着仇人的面，跟他算账。俗话说，恶有恶报。后来听说孙大宏抢劫，被判了十几年，也算是得到了报应。

冤家路窄。孙大宏出狱后回到星光小区，一个人住在原先的单间住房里。后来，他患上脑血栓，落下了后遗症，没有人管他，也没有人理他。那天他踏进居委会，对王欣说，他办低保。王欣瞧他可怜的样子，旧日的怨恨消解了许多。她平静地告诉孙大宏，办低保需要到医院开丧失劳动能力证明，准备相关手续材料。不料，孙大宏瞪圆眼珠子，在居委会办公室大喊：姓王的，我知道你记仇，趁着你手里有权报复我。低保我不办了！说罢，歪斜着身子离开了。第二天孙大宏就去找杨主任告状。杨主任批评王欣，王欣心里委屈：自己根本没有刁难孙大宏，明明是他恶人先告状。可是眼前忽然出现孙大宏歪斜的身影，她的心又软下来。第二天天一亮她就去医院帮孙大宏跑“丧劳”证明，办手续。

第二天早上，不少邻居围在王欣家门口议论纷纷。孙大宏真在王家大门上抹了大粪，还贴张字条，上写：王欣，你不给我办低保，我天天恶心你！

孙大宏做这种坏事，被派出所叫了去。

王欣知道此事后闷在屋子里哭了一整天。她在家歇了两天，心静了一点儿，气消了一点儿。那天她正要上班，家里的电话响了，是居委会的人转给她的。她接了电话，神色慌张，放下电话急急地走了。

在距离王欣住处二三里路的一片破旧平房里，住着一位她帮助办过低保的老太太。刚刚下过雨，小路泥泞难走。天昏黄黄，一阵冷风吹来，王欣打了个寒战。她远远看见老太太家门口有许多邻居在忙活着……他们表情肃穆，进进出出。

见王欣来，其中一位眼圈红着的大爷说：王主任哪，老太太可念你的好……自从死了老头儿，她又得了要命的病才改的脾气……唉，她过去跟你吵过架。不能光看她当时……唉，不说了，老太太正等着看你最后一眼呢。她说，见不到你，就是死了也闭不上眼哪！

光线暗淡，一只小灯泡照着老太太蜡黄的脸。她的眼直直地望着屋顶；胸脯看不出起伏，只有微微颤动的鼻翼让人察觉出一点轻轻的喘息。

王欣一进屋，老太太直视的眼跳了一下，僵硬的脸抽动了一下；继而双眸像蒙上了一层水，那水渐渐满了，溢出眼眶；僵硬的嘴唇像用尽了平生的力气，才虚弱地发出一点声音：王……王姐……我……我……对不……起……你！说完，老人脸上浮出一丝笑纹，那紧绷的脸上，一瞬间像有了血色。她用尽平生力气侧过了一点头，含着笑在欣慰中合上了眼睛……

王欣的心此时像被响雷震醒，又如一根无形的针扎入。

她感到一种无比的痛，同时也感到一股巨大的暖流涌入心中。泪，模糊了双眼；嘴里悲切地唤出：大妈，您不能走哇！

王欣含着热泪和那些她不认识的老人的邻居们一起送走了老人……

新的一天开始了。王欣在早晨的阳光里，看到了许多陌生人，她觉得他们是那么的可亲。马路上人流、车流涌动不息，站在高处看，宛若一条涌动着的河。

高楼一幢幢，在阳光下闪着光。空气清新，津河蜿蜒向前，波光粼粼。是啊，生活的景色如此美妙……

王欣本想去居委会的，可脚下这条路走过来才知道，是通往孙大宏家的方向的。

# 我们都喊他的大名

〇安　庆

狗蛋大名叫陈树才，可是村里人好像都喊惯了，每次见他要么不喊他的名儿，要么就是直呼其狗蛋。不知咋的，狗蛋觉得这个名字太别扭。

一次狗蛋喝多了酒，便在大街上歪歪咧咧地喊："以后我不叫狗蛋了，你们都不要喊我狗蛋好不好？"

听见的人就议论："不叫狗蛋了叫什么呀？财大气粗名字也不要了。"

酒醒了，狗蛋洗把脸，依然回到他与别人合伙办的厂里做他的股东。只有在厂里，狗蛋才觉得威风，工人们都叫他陈厂长。听见工人们叫他陈厂长，他就想起别人叫他狗蛋的不舒服。狗蛋现在是有脸面的人了，这几年运气好，发了财，什么都顺，就是这名字听起来有点不顺心。做了厂长，要与外地客商谈生意，还时不时到城里大酒店去风光风光，可在这种场合让村里人撞上，与他打招呼还是叫他狗蛋，真是大杀风景。狗蛋想，得改名字改称呼。

他骑摩托去了婶子家。婶子与他打招呼："狗蛋咋闲了？"

狗蛋说："婶，我不想叫别人再喊我狗蛋了。"

婶子说："咋了，叫狗蛋咋了？"

狗蛋说："不好听，我好歹也是咱村的名人了。"

婶子说："那……那叫啥啊？"

狗蛋说："我叫陈树才，叫我树才嘛。"

婶子说："狗蛋呀，你这代号可是你爹妈打生下你就起的，他们是疼你才给你起的这种名字。这名字你可是叫了三十多年了，要改容易吗？现在你爹妈不在了，改名字不怕他们地下知道了心里难受吗？"

狗蛋说："这陈树才不也是我爹妈起的吗？"

婶子说："咱乡里人就爱叫这奶名。"

狗蛋有些急了："婶，这样吧，我给你两千块钱辛苦费，你老多进几家做做工作。"

婶说："狗蛋，你不要勉强我，有钱就什么都能买到吗？"

狗蛋又去找四伯，四伯曾是村里的村主任。狗蛋进院时，四伯正躺在藤椅上听广播，狗蛋喊了声四伯，四伯关掉了收音机问："狗蛋，啥事呀？"

狗蛋说："我不想再让人喊我狗蛋了。"

"咋了？这名字为你惹祸了？"

"没有。"狗蛋为四伯让了支烟。

"那改什么？"

狗蛋说："这名字不雅。"

四伯说："这名字不雅你不是也过了三十多年，这名字不也伴你挣了几十万吗？"

狗蛋说："反正，我不想再让人这么狗蛋狗蛋地喊，不舒服！"

四伯有点急了："狗蛋呀，你不让人叫你狗蛋，叫你什么？叫你雷锋，可你有这德行有这资格吗？村里两千多口人，你能全说服吗？啊？"

秋天，下了场大雨。雨住的次日早晨，狗蛋骑摩托往厂里去，跌进路上的一个坑里，摩托熄火，跌得狗蛋在溅满泥水的路上龇牙咧嘴。火气未消的狗蛋去找了村支部书记。

"支书，咱这路也该修修了。"

支书笑笑："修路？说起来容易，可做起来难啊。"

狗蛋脸憋得通红，“我出 5 万。”支书说：“你说的当真?”

狗蛋说：“怎么不算?!”

支书说：“那你立个字据。”

狗蛋就立了。

路修好了，开通那天，村里举行了一个通路仪式，支书在仪式上放开嗓门儿：“老少爷们儿，咱村这路，陈树才一个人捐了 5 万啊。”

“哗——”场上爆发出雷鸣般的掌声。

支书说：“陈树才同志这几年富裕了，但他为咱村为新农村做实事了，是个人物。我提议以后不要再喊他那狗蛋的小名了，尤其在一些重要的场合。我们以后都喊他树才，叫他的大名，这名字好听。”说完，支书扭头瞧一眼狗蛋。

“树才，树才，树才……”场上忽然响起无数喊“树才”的声音。

狗蛋的眼睛湿了，眼睛湿湿地望着通向远方的路。

# 消失的小河

○胡庆魁

一条美丽的小河，把英山脚下这个清秀的小镇剖为两半。

每天晚饭后，小囡囡骑在父亲脖子上，来到小河边，看河里的游鱼和浮在水面的淡蓝色菱角花。水很干净，小田螺在河底犁出的小路比课本上都看得清楚。

囡囡长到九岁时，当了副镇长的父亲偶尔带囡囡到河边走走，河里挤满了洗衣服的姑娘大嫂，笑语翻飞，水花四溅。囡囡忽然摇着父亲的手，快看，快看——河中间泛起一片片水沫，就像一阵微风拂过一片麦田。囡囡仰着小脸蛋："爸，有团鱼吧？"她晓得团鱼在水下吸气要吐泡泡，父亲摇头："团鱼吐泡一串串，像人吐烟圈，不是这模样！"

说着他心里猛然一沉：小河犯毛病了。用乡里话说，水太"肥"了。走下河堤，他用手捧起水，凑鼻子前嗅嗅，果然气味不正，好像掺了潲水哟！

在第二天的镇政府例会上，他提出了小河的问题。他说，打七百年前建镇就有这条河，小河是咱镇的魂儿，得想法子治治，不然不好向祖宗后代交代呀。大家都点头。有个委员担心地问，要不少钱吧？他伸出一只手指，说环保部门合计过，只要10万元。镇上预备盖卡拉OK歌厅的钱足够，歌厅缓缓如何？没人吱声。英山新辟为旅游名胜后，小镇就指望着这山，不盖歌厅，财由何生？

囡囡大学上的环保专业，暑假回到小镇，某日早起拖着已当了两届镇长的父亲到小河边散步。河水浅了，河水浑了，水面没有了菱角浮萍，连岸边的柳树也长得蔫头耷脑的，河底显出一种乌木的颜色，满河都是泡泡。囡囡说："老爸，我晓得，这回不是团鱼鼓泡泡。"当天，囡囡装了袋河泥拎了瓶河水跟父亲上了市环保局，囡囡亲自动手测了数据。一位工程师说，治理怕要一百多万元哩。囡囡问父亲："有没有这么多钱?"父亲说咋没有？当晚回去连夜开会，结果一票对八票——盖宾馆的钱不能挪作他用!

父亲退休那年，囡囡领了一班同学来搞毕业设计，课题就是《S镇小河水污染治理》。老人家雄心勃勃，应允在卸任之前了结这桩公案。这会儿，小镇的旅游业已经开始发达了。宾馆就坐落在小河边，推窗可以望见水面不时浮起的死鱼烂虾，河水"厚重"得像一幅金丝绒的窗帘。有游客给市报写文章调侃，说S镇小河的水赛过良药，只要闻一闻，无论是感冒还是鼻炎，没有治不住的。

半月后，囡囡们的毕业设计出来了，弄了化学、物理、生物治理三套方案。老镇长一看预算傻眼了：2000万！全镇人就是一年不吃不喝不穿裤子也不够哇！虽然囡囡们的毕业设计获得学校一等奖，小河的治理却始终未有动作。翻过年不久，小河先是不流动，后来干脆河水没了，谁也说不清是渗入了地下还是升上空中蒸发掉了。

小镇的旅游业越来越红火，只是那条轻盈的小河没了。

秋天的时候，中了一次风的老镇长趔趔趄趄地跑到市方志办，把要出版的市地图上那条七百多岁的小河用红笔圈掉了。

# 蒙特丽娜

○段淑芳

“蒙特丽娜，好久不见!”刘老从小车里下来后，开心地喊道。

蒙特丽娜是小嘉的外号。在那次文学笔会上，那位鹤发童颜的老作家一时童心大发，给一屋子的男男女女都起了外号，花木兰啦，宋江啦，李逵啦……博得了一屋子开心的笑声。披了一头长发又有高高额头、胖胖脸型、笑得有点迷人的小嘉就被姜老起名“蒙娜丽莎”。因为一时心急，那“蒙娜丽莎”被喊作了“蒙特丽娜”，旁边的人齐声纠正：“刘老，是蒙娜丽莎。”刘老孩子似的固执：“不，就叫蒙特丽娜，因为是形似不是神似。”“蒙特丽娜”的外号就这样传开了。大家再见了小嘉，就很开心地“蒙特丽娜”、“蒙特丽娜”地叫喊着。

刘老到小嘉所在的小县城出差，听说小嘉工作的小镇有一处美丽的风景，便兴致勃勃地驱车跑了二十多里山路来了。说是看风景，结果一行人却哪儿也没去，只窝在小嘉的小房子里嗑瓜子、聊天儿。普普通通的小嘉很少有这么西装革履、气宇不凡的朋友。单位的同事也纳闷儿，看不出小嘉居然结交了一些看上去很有身份的朋友。晚上，小嘉请刘老他们在小镇上吃饭，顺便拉了几个要好的同事作陪。席间，刘老又把蒙特丽娜的典故讲了一遍，大伙儿就“呵呵呵”地笑开了。蒙特丽娜的外号由此在单位也传开了。几个同事在一旁猛盯了一会儿小嘉，感慨道：“还别说，还真有那么几分相像呢，特别是笑起来的时候。”刘老他们吃了晚饭就连夜赶回了县城，说是要去歌厅一展歌喉，还问小嘉去不去。五音不全的小嘉赶紧摇了摇头。

送走了刘老一行人，已是夜幕低垂。心情很好的小嘉不由自主地哼起了乡间小调。

隔天，有压低了的声音从一个窗口传出来，刚巧被路过的小嘉听了个正着。

“听说，小嘉在外面不知惹了什么事呢。这不，人家找上门来了，她在餐馆里请人家吃饭呢！”“估计是得罪了什么人啦。”“还蒙特丽娜呢，她以为她真的是蒙娜丽莎，瞧她那得意劲儿……”

听了这些莫须有的传言，小嘉又好气又好笑，真想一脚踹开那扇门，叫那些乱嚼舌根的人闭嘴。小嘉没有那样做，她只是苦笑着悄悄地走开了。她能怎么样呢，清者自清，浊者自浊，有些时候你表现得越愤怒，越中某些人的下怀。是谁说过那么一句话：解释永远是多余的——因为懂你的人不需要它，不懂你的人更不需要它。何况，这制造流言的不是别人，正是那天一起吃饭、最了解事实真相的那几个同事。小嘉想不起自己在什么事情上得罪了这些人。刘老在走之前还邀请小嘉一起去县城唱歌，现在看来自己没去是对的。要不，还不知会传出怎样不堪的谣言呢。

唉，人心叵测啊！

小嘉是个有洁癖的人。喜欢舍近求远去几米远的隔壁单位上公共厕所，本单位厕所一进去还得踮着脚才不至于把鞋子弄脏，想一想都没心情。那天早上，小嘉可能吃坏了肚子，天还麻麻亮就憋不住了，套了件外套，连头发也来不及梳，就急匆匆地往隔壁单位跑。回来的路上，碰到了几个早起的同事，同事们怪怪地朝小嘉笑：“蒙特丽娜，这么早啊？”小嘉也没多想，点了点头说：“你们也早啊！”后来有一天，有一个男同事实在憋不住了，就嬉皮笑脸地问小嘉：“亲爱的蒙特丽娜，那天早上，天还麻麻亮，你是从哪里回来呀？”小嘉说：“我去隔壁单位方便去了，难不成也要向你汇报吗?”“去隔壁单位方便，谁信呢? 本单位又不是没厕所，我看，八成是和哪个男的去约会了吧?”小嘉急了：“真的是这样。昨晚我一直在自己的房间睡觉，隔壁的丽丽可以给我作证!”丽丽幸灾乐祸地说：“别问我，我可不知道，你一个大活人，我能管得了你吗?”小嘉知道跟这些人多说无益。她索性豁出去了：“是，我昨晚就是出去约会了，你管得着吗?”奇怪，这么一来，那个咄咄逼人的同事反倒哑口无言了。

生活在继续，流言就像脚盆里的洗衣粉泡沫一下子膨胀得老高，一下子又灰飞烟灭，然后又开始新一轮的兴风作浪。小嘉的平静生活被扰乱了，也许是蒙特丽娜的错，也许是洗衣粉泡沫的错。

不管怎么样，小嘉不想再被人喊作蒙特丽娜了，她剪短了头发，蓄起了刘海，藏起了她迷人的微笑。她是小嘉，小嘉是她。

# 开旅游车的张大个

〇骆　驼

说实话，我至今还对云盘梁上的风景记忆犹新。

我在那家市级机关工作的时间不长，但对那里很多人，都极有感情，开旅游车的张大个，就是其中一位。

那时候，我一般在下午下班后，喜欢去云盘梁上转转。云盘梁面积不大，方圆就几公里，但景区环山而建，山路蜿蜒，自然就会有许多电动旅游车代步。

那天，我带着外地同行去云盘梁参观，坐上了张大个的电动旅游车。游毕，我拿出一张百元钞票，张大个说无零钱找补，叫我方便时补给他就成。我诧异地看看张大个，当时，我们互不认识。张大个见我诧异，挥挥手说，去吧，我姓张，我知道你在哪里上班。我都放心，你怕啥？陪客人去吧。

我们便这样认识了。

我常常在业余，独自一人拿着书，去云盘梁上读。紧张的机关生活，在这里得到全面放松。张大个有时候会凑过来，随便看看我手里的书，或是与我闲谈一阵。

在闲谈中，我断续得知，张大个叫张志明，以前在一家市级企业的管理科上班，十多年前下岗了。

那时候，我的老婆孩子，还在我以前工作的县城。周末，单位若不放假，我有时候会来到山上，与张大个闲谈。

我感觉张大个这人见多识广，对一事一物，总有自己独到的见解，他认识和分析事物的能力，有时候甚至让我佩服。更有趣的是，张大个与我一样，喜欢在业余喝几杯酒。每次，张大个都要点上几个小炒，点上一瓶白酒，我们共享。饭后，我抢着付钱，张大个总是用他那双有力的大手，将我半道拦下，从衣袋里摸出钱来，付了。

我几次急红了眼，抢着要付账。我总觉得，我好歹一个月有那么多的工资，张大个要靠开电动车养活自己和全家啊。张大个看出了我的心思，说，你孩子还小，用钱的日子还长，省着用吧。你我算是有缘，对吧？有缘人哪里能分彼此呢？我们之间，不谈钱，不谈钱！

饭后，张大个会将手搭在我的肩上，去露天茶摊喝茶，一坐就是一下午。那时，还没有时兴查酒驾，但张大个却说，喝酒不开车，开车不喝酒！

有段时间，我故意躲着张大个，一来老是他付钱喝酒，我心有不安；二来我们中午一喝酒，他一下午都不去开车，会影响他的收入。再就是，我感觉他这人不会过日子，开一天车，满打满算，收入就百把块钱吧？但张大个要抽云烟，软的那种，要喝铁观音茶，小袋装的那种。中午还要炒几个小菜，一天下来，几乎都是倒贴钱。我时常想，他这样上班，如何养家糊口？几次我都想问他，可话到嘴边，又咽下了。

张大个好像看出了我的心思，一天他打电话对我说，中午来一起喝几杯，这次你请客！我爽快前往。那天，我感觉特别愉快。

又一个下午，单位加班。下班后在云盘梁转上一圈后，已是暮色降临。我慢慢往回走，一辆小车停在了我的面前。车上一个声音对我说，上车！我们一起走。我一惊，是张大个。我有些不安地坐上车，才发现这车的豪华。更让我吃惊的是，车上坐的，居然是景区管委会的李主任。李主任我认识，我忙向她打招呼。我疑惑地看看张大个，再看看李主任。张大个笑着说，没事，这是我老婆，一家人。李主任微笑着对我点点头说，我们老张常提起你，感谢你对他的照顾啊。

我不知如何走下车的，矛盾与疑惑占据了我的心。

冬天很快就到了，云盘梁上冰封霜冻，狂风呼叫。我上山去的时间渐渐少了，也很少见到张大个了。我们通过几次电话，张大个说，冬天，他一般不去山上开旅游车。路面太滑，不安全。

后来，我离开了那家市级机关，来到了目前所处的城市。我还是偶尔与张大个互发些短信，以示问候。

前几天，还在那家市级机关工作的一位同事来看我，我问及张大个，同事一脸茫然。我说，就是云盘梁管委会李主任的老公啊，那个在景区开旅游电动车的。

同事一脸惊奇，你认识他？

我说，当然！关系好着呢。

同事说，你小子隐藏得深啊，居然与百万富翁认识！

我忙问，谁是百万富翁？

同事说，你真不知还是装蒜？就是你说的那个张大个啊！

我感觉我快要窒息了。

同事接着说，张大个是一家大公司的老总，总部在成都，在几个市都开了分公司，现在身价恐怕早就过千万了。他与她老婆感情特好，也要感谢网络，感谢现在的办公设施，为了与老婆在一起，张大个白天在景区开电动车打发日子，晚上回去在网上打理公司的事情。

同事感慨地说，张大个的小日子，真牛！

# 县长欠我一支烟

○赵　新

那是5年以前的事情。5年以前，马亮35岁，在古寨乡当乡长。

那年春天的一天，马乡长在乡政府召开一个小型座谈会，座谈关于放牧和养殖大牲畜的问题。参加会议的只有十多个人，都是古寨乡的村民，都有一定的代表性和权威性。作为会议的主持人，会议开始时，马乡长首先向大家问好，给大家道了辛苦，然后掏出自己带的香烟，一支一支递给大家。马乡长的身边坐的是放羊的老汉杨老万，马乡长由远及近最后一个把烟递给他时，竟出现了特殊和意外：那老汉双手把那支烟挡了回去，脸上一片郑重和严肃的表情。

马乡长笑了：大叔，您不抽烟？

老汉掏出烟来说：抽啊，我抽烟抽得很勤，很凶！

马乡长说：那您就抽我一支，我这烟比您的烟好！

老汉说，好也是抽，歹也是抽，反正都是冒烟，咱还是各抽各的吧！

会议出现了这么一个小小的插曲，大家都笑了，都觉得杨老万这个人真是有点别扭。会议接着往下开。会议开得很热烈。十多个人全都发了言，杨老万当然也发了言，而且发言的质量要比别人高，他结合自己的放牧实践提出了许多真知灼见。马乡长很兴奋。马乡长在做会议总结时这样说道：今天的会议开得很成功、很实在，大家八仙过海，各显神通，对我们乡的放牧和养殖问题提出了很好的建设性意见，尤其是杨老万大叔的发言，朴实深刻，诚恳直率，句句说到了点子上，句句……

讲到这里时，马乡长很想点一支烟抽。马乡长有个习惯，开会讲话时喜欢抽烟，只要把烟一点，他的讲话会更加精彩，表情会更加生动。可是现在马乡长的烟盒里没有一支香烟了！自己再去买吧，显然不合时宜，而且马上就要散会了，托人再去买烟也不值当；不抽烟呢，情绪上不来，影响自己的临场发挥，影响会议的效果。也是凑巧，这时候正好杨老万往外掏烟，马乡长便抓住这个机会说：大叔，借给我一支烟吸！

杨老万愣了一下：马乡长，你是说借我一支烟吸？

马乡长点了点头：对，借您老人家一支烟吸！

杨老万说：马乡长，既然是借，借了东西是要还的！

马乡长说：还，还，散了会我就还给您！

杨老万递给马乡长一支烟，马乡长继续把话讲了下去。这又是一个小小的插曲，大家都笑了，都觉得杨老万这个人真是有点意思！

会议说散就散。散会以后，马乡长立刻被人拉到了饭馆里，一下子喝得酩酊大醉。

喝醉了酒，马乡长当时就忘掉了那支烟的事情。

马乡长工作忙，后来仍然忘掉了那支烟的事情。马乡长常常在古寨村的村口和街面上遇见杨老万，遇见那老汉赶着羊群上山，赶着羊群回村。有一次马乡长看见那老汉从地上捡了许多烟头，并把那些烟头小心翼翼地装进衣服兜里。那年年底乡政府召开全乡劳动模范大会，中午就餐时马乡长去给杨老万敬酒，顺手把桌子上的一盒香烟塞进老汉的口袋里。马乡长说：大叔，以后别再捡烟头吸啦，那玩意不干净！老汉掏出那盒烟答非所问地说：马乡长，这烟我可不能要，这是乡政府出钱买的烟，这是招待大家的烟！

过罢春节，马乡长被调到了县城，先任某局局长，后来当上了分管全县教育工作的副县长，这就到了现在，到了今年春天。这一天马县长到古寨乡考察工作，除了看见杨老万那一群雪白的羊外，又看见那老汉弯着腰在地上捡烟头。

马县长让司机把车停下，一个人走到了老汉跟前。

马县长说：大叔，您好！您还在放羊啊？我看见您又从地上捡烟！

老汉有些脸红，有些尴尬。他慌忙把手藏到背后，低下头说：没有啊，没有啊，我正赶着羊群出村……

马县长递过去一条烟说：大叔，我送给您一条烟，您别捡烟头啦，那玩意不干净！

老汉说：马县长，这条烟是你自己买的吗？

马县长说：不是，这么好的烟我能买得起吗？给您您就抽，管它……

老汉说：不是你买的我不要；是你买的我也要不了这么多，我只要你一支烟！

马县长还是没有想起那一支香烟的事情来，他只是看着那老汉渐渐地走远，渐渐地走远。

夏天的时候，县教育局忽然报告马县长，说古寨村的村民杨老万去世了，这位62岁的老汉立下遗嘱，要把多年积攒下的18万元人民币捐给古寨小学！马县长大为感叹，等匆匆忙忙赶到古寨村时，老汉已经入土了。马县长从杨老万的儿子杨小万的手里看到了那份遗嘱，遗嘱上除了捐款的事情外，还有一条是：马县长还欠我一支烟，一定要让他归还！

马县长终于想起了5年前的那个座谈会，想起了那支烟。

马县长本来带着烟却又亲自从村里的小卖部买了一盒烟。马县长带着这盒烟来到了老汉的坟头上。马县长给老汉点燃了一支香烟后泪流满面地说：大叔，您抽吧，这是我自己的烟！

马县长还了解到，那杨老万原来是古寨村的前任支部书记，退下来之后当了名副其实的放羊汉。

# 刷鞋匠的绝招

○曾　颖

开往市区的无人售票公交车上，车门开了，一大群赶着上班的人和挑着担子背着包袱的外地小商贩蜂拥着挤上车来，投币声和刷卡声响成一片。喇叭里，字正腔圆但全无感情色彩的电子女人念叨着：本车为无人售票车，请自觉刷卡或投币……该上的上完了，关车门。司机冲一个小个子乡下人喊：请自觉投币！

小个子的乡下人理了理肩上挎的小木箱，把手中的木凳往地上一放，坐下，很反感地盯了一眼司机，想说什么，但忍住了。从他衣服上闪闪发光的黑色油痕和他随身携带的板凳、木箱我们看得出，他是一个刷鞋匠。

司机并没因他的反感而放过他，嘴里又说了一声：大家没有投币刷卡的，请投币刷卡。嘴里说是大家，但眼睛只盯着刷鞋匠。刷鞋匠有些不自在了，他扭过脸对司机说：“我投了的。”

“投了怎么没听见响呢？”

“是纸币！”

“哼，纸币，这些乡下人……”

司机冷笑着摇摇头，开始发动车子，准备出发。

这时，出乎他预料的一幕出现了，那个看起来其貌不扬的小个子乡下男人突然跳起来说，乡下人怎么了？乡下人就该被你怀疑？乡下人掏钱坐车还要遭你白眼？

司机出乎预料地遭到反击，有点蒙了。他把车熄了火，扯下手套，回过头来准备认真地和刷鞋匠吵一架。他说，乡下人怎么了？乡下人了不起？乡下人坐车可以不给钱？你看你们那伙子人，上七八个人，投一两枚硬币，还有五毛甚至一毛的。我还冤枉了你们不成？

刷鞋匠说，别人投没投币我不知道，我投了币，你就不能冤枉我！

车上赶着上班的人们开始鼓噪，司机觉得吵下去没意思，就转身准备继续开车，嘴里却有些不甘地说，你投没投，只有天知道！

说罢，戴上手套，吹起口哨，准备开车。他的表情激怒了刷鞋匠，刷鞋匠噌地钻到驾驶台前，一把抢下车钥匙，大叫着，天知道，今天就要让天知道！把钱箱打开，验钱！

司机仿佛是遭到小鸡突然袭击的老鹰，一下子没回过神来。待他反应过来之后，马上恢复了鹰的本色，从工具箱中取出一把扳手说，钥匙拿来！要不，老子把你当抢劫犯给收拾了。

刷鞋匠两眼血红地瞪着他说，你今天就是打死我，也要把这事搞清楚！

车上的人们来劝架。有劝司机忍口气把扳手放下的，有劝刷鞋匠想开些把钥匙交出来的。更多的人，则是因为上班快迟到了，焦急地跺着脚说，算了，我再投一元钱，求求你们，开车吧！

刷鞋匠梗着脖子说，今天一定要开箱，看看我到底投钱没有？

不一会儿，警察来了。警察对刷鞋匠说：就算你买了票的，别闹了，行不？

刷鞋匠梗着脖子说：不行！得开箱。

司机扳手握得紧紧的，但当着警察的面又不敢贸然行动。急着上班的人都坐别的车去了，只剩几个不太急的人在车上看热闹。我也在车上，我要看看这件事的最后结果。

警察对司机说，你就把钱箱打开吧。遇上这犟人了，你还真没办法。

司机说，钱箱贴了封条的，只有公司的财务人员能打开。

警察给公司打了电话，半小时过后，公司一个经理和财务人员赶来了。经理说，这不是瞎胡闹吗？这么一箱钱，你就能认出你那一块？

刷鞋匠从口袋里扯出一个牛皮纸做的钱包，里面整整齐齐地排着几张一元面额的钞票。他说，你查，里面保准有一张钱像这些钱一样，左上角有一小块黑胶布。

经理从钱箱里果然找出了一张左上角贴着一小块黑胶布的钱，说，对，是有这么一块。好了，我宣布你是投了币的。

刷鞋匠梗着的脖子一下子软了，他得意地冲司机一摆头说："听着，是……投……了……的!"声音中竟带有几分哽咽。

车继续开。我蹭到刷鞋匠旁边坐下，问他，你咋想出这招的。刷鞋匠说，如果你遭怀疑和挨白眼的次数和我一样多的话，你也会想出来的。

你这可是毁损人民币啊！是违法行为。

不碍事，能抠掉，一抠就掉。

刷鞋匠一面说着，一面很认真地抠下一块，给我做示范。

# 欠啥还啥

○奚同发

那个雨天，坐在阳台赏雨品茗的他，突然放下青花瓷杯，觉得必须了却一下困扰自己多年的事儿。欠下的毕竟是欠下的，经了商，更明白这一点。欠了，无论多久，终是要还的。

望着客厅书柜内成套成行的精装图书，他的目光有些飘忽。20 多年过去，那爿小店还存在否？与当时的穷学生相比，他如今投资的房产成了都市的地标，在各地现身俨然前簇后拥的成功企业家。岁月在变更，却在那个雨天突然稍作停滞。

有了车，路变得短了，两个多小时就到达了目的地。

小镇的变化很大，新起了高高的楼房，但主要街道依然。在这儿上过三年学，一切自然非常熟悉，不费劲儿就找到了原本的位置。真是难以置信，书店还是原样，一点儿都没变。

远远地望着，很久。再慢腾腾地吸了三支烟……

猜想店内的模样？是啊，20 多年过去，会变成什么样子？

竟然——除了图书是新的，店内其他几乎维持原貌，格局一点儿都没变。这么多年……

企业家双眼一热，潮雾笼罩了视野。旧景恢复着记忆，似乎再现了当年。瘦弱的身板，把书摊开在膝盖。随着书页的翻动，脑袋不禁摆来晃去。有几次，借助上面书页的遮蔽，轻轻撕掉自己需要的某些页片。虽然小心翼翼，却每次都免不了心跳如鼓，冷汗湿背，如惊弓之鸟。而那一回，他分明听到自己撕扯的“刺啦”声，脆响，惊惧地抬头注视店主的目光，心口一堵，眼前泛黑——完了，露馅了！大脑一片空白，纸张却因双手战栗得抖抖索索而沙沙作响……直到明白主人根本没瞅他，而是眼光穿越他的肩头在计算些什么，才长出一口气，捏了两把汗，草草撂下似烫手的书，逃也似的夺门落荒而去，再也没有重返那爿小店，虽然有一种强烈的欲望刺激了他一年又一年……

更令他惊讶的是，店主竟也未换他人。人，是老了，眉眼举止一下便识得出来，像旧版的图书，纸质泛了黄，还是原来的版式。

不仅因为雨天，就算平日里光顾书店的学生也少多了。有人建议添置些电脑以吸引更多学生。那还是书店吗？老人说。儿子不愿意接手，自己就坚持着。身体不如以前，生意又不好做，经营多年的老店不久真的要关门了……

终于很不好意思地提起当年偷偷撕过书页，老人宽容地笑了，没说什么。

企业家很想表示一下！如果当年没有这爿书店，或许就没有他的今天。多少发奋图强、充满英雄主义的故事，都曾在这儿一页页翻过。至今能准确报出自己最后逃离书店的年月日——那一幕在他脑海里一次次回放，像烙进记忆一般。

店主从里间拿来一个本子，封面标注着某年某月至某年某月。翻开本子，查到那个日子。老人平静地递过来——

企业家看到那页是这样写的：

今天丢失、缺页图书记录：

《骑鹅旅行记》，穿一身草绿色衣服的男孩拿走。

凯斯特纳的《两个小洛特》第 39～42 页，瘦弱的菜色小脸、两个羊角小辫子的女孩撕掉。

《达尔文传记》第65~68页，穿蓝上衣的女孩撕了，同伴藏在衣角下带走。

原来如此了如指掌，只是自己暗暗地记录，然后很快把丢了的或被撕毁的书重新补上。他明白，这些书籍才是孩子们最需要的！

老人竟然有20多个这样的记录本。显然，这样做的孩子不少，店主却从不揭穿。这对企业家来说，像是车的前挡风玻璃被突然震撼，碎得稀里哗啦，斜雨般落英缤纷，自己的心也挂在了半空！

半晌，他决定把这些记录本都买下，并且把被偷去或撕损的图书的全部费用都补上。老人笑笑说：成！这么多人里头，有一人能回来，书店这么多年，就没白撑！

再以后，企业家闲暇常驾车外出，还是在镇口便远远地停了车徒步进去，而后坐在书店，轻轻地把书摊开在腿上。日复一日，直到店主老去……

同时，企业家在各地开办了多家小型书吧，设置坐椅之外还配备了饮水机及纸杯。

# 飞越城市上空的鸟

○徐国平

有钱没钱，回家过年。乡生刚买好晚上六点回家的火车票，准备正式告别这座给他带来失望与痛苦的城市。恰在此时，他却意外地揽到了一份活儿。

一家大公司为了在春节期间扩大在这座城市的知名度，想在市贸中心大楼悬挂一幅巨大的户外广告。当时那位经理出的工钱很诱人，许多民工都跃跃欲试，只是听说要爬到市贸中心楼顶将广告挂置好，便纷纷退却。都说快过年了，还是留条命安安稳稳回家见见老婆孩子吧。

几个同乡都提心吊胆劝乡生，那么高的楼，上去不头晕才怪哩！你难道就不怕？乡生不屑一顾地说，怕顶屁用？小时候那么高的树俺都敢光脚爬上树梢去掏鸟窝，这算个啥！咱进城不就是为挣城里人不敢挣的钱吗？

那天正午灿烂的阳光从天空倾泻下来，洒在市贸大厦的玻璃墙上，映出炫目的光环。乡生在大街旁的小吃摊儿上草草填饱肚子，便一鼓作气爬至楼顶。气喘吁吁定下心神，放眼向四下望去，整座城市尽收眼底。多么美丽的城市啊！他在心里由衷地赞叹。半年来自己整日像条流浪的狗东荡西撞，还从没细细地欣赏过这座城市。只是这种美丽与他无关，甚至这里的一切都与他无关，四处碰壁的他已对这座城市产生了厌倦，还有一种被拒之门外的愤懑与无奈。自己晚上就要离开这里了，也许永远不再回来。

乡生想到这些便伤感无比地将两腿耷拉在楼顶的边沿，坐下，两眼呆呆地盯着城市上空。几只不畏风寒的鸟儿自他眼前盘旋而过，乡生就想，自己何尝不是一只鸟儿？孤独无倚地从这座繁华的城市里飞过，从城里人冷漠无情的眼中消失……

乡生不由得伸开双臂做出一个鸟儿展翅欲飞的动作。

这时，乡生忽然听到楼下一片嘈杂，向下探头一看，立刻惊呆了。楼下啥时密密麻麻挤满了车和人。这么多人聚集在这儿干什么呢？很快有人在楼下铺开棉被，接着，就隐约听到有人向楼上大声地喊着："哎——小伙子，不要想不开！父母养你一场不易，不为自己，也该为家中父母想想！"

"年轻人，有啥过不去的坎儿啊？大家能帮你，快下来吧！"

乡生感到滑稽可笑，但很快就被楼下人们的举动感动得热泪盈眶。这么多天来，他在城市的钢筋混凝土森林中行走奔波，看到的都是行色匆匆的脸，没料到自己对这座城市快要绝望的时候，这座城市竟又像家中的父母般拥抱了他。

乡生顿觉心间有一股暖流涌上，心头的坚冰开始消融起来。他怕自己再这样静坐下去会牵动更多人的心，忙系好安全带，将那幅布质广告在楼顶上系牢，然后像一名杂技演员般随着展开的广告惊险无比地向下荡去……

阵阵刺脸的寒风呼呼吹过，乡生犹如一只鸟，正毫不畏缩地飞翔在城市的上空，很快就令身下那些城里人开始对他刮目相看。

当楼下那些关注的人群弄清眼前的一幕纷纷散尽后，乡生站在那里感慨万千。

那家公司的经理上前握住乡生的手，多付他300元工钱，并掏出一张名片，敬佩有加地说：小伙子，谢谢你用自己的胆识给我们公司带来了前所未有的轰动效应。回家过完年，欢迎你到本公司工作。

乡生的手有些颤抖，他不相信这是现实。

兴奋不已，暮色将这座城市濡染出一种从没有过的温馨。隐约间，一只鸟儿正缓缓地从城市上空飞过……

乡生像个孩子般仰头放声大喊起来：再见了，明年俺还会飞回来的！

# 看　球

○张国平

安小民特别郁闷，不能看世界杯决赛了，因为他正在工地上做工。建筑工地上只有一台破电视，而且还在工头儿屋里，偏偏开赛时间晚，后半夜才开始，那时工头儿睡得正香，哪能让安小民看什么狗屁足球。

安小民很想回学校去，一边看球一边和同学们侃球，那才叫得劲。可是不能。这年的夏天太热，热得白天无法做工，只有趁夜里凉快了再干，一直干到零点。安小民很想请几天假——或许学校礼堂还开放着，可又不能，耽误一天就是40块钱。何况工头儿也不一定允许，工地上不缺民工，万一工头儿不让来了，下学期学费咋整呢。安小民算了算，一天40块，两个月下来就是两千多，家里再寄点，学费就差不多了。父亲干一年农活儿也挣不了几个钱，不能因为看球耽误了挣学费。

安小民只好忍着，忍得心里直痒痒。离建筑工地不远就有一个足球酒吧，露天的，安小民在工地的铁架子上干活儿时就能看到。看到城里人一边喝酒一边聊天儿一边看球，安小民只有不停地咽口水，并在心里骂，他妈的。

前面的比赛耽误就耽误了，这天的不能再耽误，因为是决赛，而且进入决赛的有安小民最喜欢的意大利队。从高中开始安小民就喜欢上了意大利队，几乎每个星期天晚上都会想法子去看意甲直播。安小民最喜欢巴乔的忧郁，维埃里的疯狂，如今他们虽然都不在球队了，可托蒂还在，意大利足球的灵魂还在，钢筋混凝土似的防守还固若金汤，防守反击依旧那么犀利。

太阳快要落山的时候，炎热的天气渐渐凉爽，民工们早早地吃了晚饭，又开始爬铁架子上工地。安小民站在铁架子上恍恍惚惚，有些失魂落魄的感觉，因为心里还是惦记着即将开始的世界杯决赛，眼睛就朝远处的露天足球酒吧瞅了又瞅。

大概都关注决赛吧，露天酒吧早早就坐满了人。因为太远，听不到他们在说什么，但他们比画的手势却能看到，不说也知道，他们一定是在侃球。安小民心里更痒了，仿佛猫爪子挠心。

夜里12点以后工地的大门就上锁了。不管咋说也得去看，哪怕翻墙也得去。度日如年，安小民忍受着分分秒秒的煎熬，终于等到了半夜，离12点下工也就几分钟时间，工头儿突然爬上架子说，各位弟兄，大家知道因为天热，白天无法出工，我们楼的进度非常缓慢，对方对我们很不满，从今天开始就有劳各位了，一律到4点收工。

工头儿瞅瞅民工们的脸色说，当然我也不会亏待大家，从12点到4点这段时间，工钱翻番。

民工们一阵鼓掌，都说工头儿够意思，干就干吧。

球赛看不成了？安小民有些头晕。安小民说，老板，我……

工头儿用眼神剜安小民的脸，咋？你不想干？

一旁的大同扯了扯安小民的背心说，你傻啥？反正凉快了，工钱又翻番，4个小时顶我们干一白天，你咋不想干？

不是，我……安小民还想说什么，大同一把将他拉走了。大同安慰安小民说，傻什么，跟工头儿较劲儿不是跟钱较劲儿吗？

安小民不好再说什么，只好埋头干活儿，但干得少气无力，心不在焉。

决赛显然已经开始，安小民隐约能听到酒吧“传呀！射门！唉，臭！”

的呐喊声和叹息声。

世界杯四年才一届啊。去看球的念头最后还是占了上风，安小民正准备找工头儿请假，一不留神塔吊转过来，打了安小民一个趔趄。幸亏大同拉了他一把，不然安小民准摔下去。不过安小民的手背还是被水泥板擦了一下，擦掉了一层皮，鲜血染红了他的手背。

大同领安小民去见工头儿。工头儿指着安小民的鼻子吼，咋搞的？还想不想干了？

大同在一边求情说，你看他的手都流血了，你就别骂他了。

工头儿脸一黑说，流血了自己去看，没用的东西。

大同想陪安小民一块儿去，安小民说，你干活儿吧，不然你今天双倍的工钱就没了，我能找到医院。

出了工地大门，安小民就飞奔起来，不过不是去医院，而是直奔露天酒吧。

安小民回来的时候大同已经睡了，见他回来，大同睡眼蒙地看了看安小民的手。安小民的手并没有包扎，上面的血迹已经结成了痂。

咋搞的？没找到医院？大同翻身起来问。

安小民还沉浸在决赛的气氛里，心不在焉地说，赢了，真惨烈。

大同吃惊地盯着安小民的脸，问，你去赌钱了？

安小民拍拍脑袋笑了，笑得阳光灿烂。安小民说，多亏了我的手，伤得是时候。

大同伸手摸安小民的额头，你小子烧迷糊了，说啥呢？

安小民嘿嘿着说，手破了，值。

# 戒　酒

〇聂鑫森

四季香花木公司总经理金企，走进《湘楚文学》编辑部小说室的时候，是一个秋天的下午，五点来钟的样子。

小说室里静寂无声，只有头发早白了的老编辑、小说室主任董重，还在认真看稿。他一手端着一只小茶杯，但茶杯里不是茶，而是白酒，酒香飘满了一屋子。他一边看稿，一边不时地呷一口酒，瘦瘦的脸上浮着暗淡的红晕。

金企走上前，恭恭敬敬地喊了一声："董老师!"

董重抬起头来，打量着站在面前的中年人，想不起到底是谁了。"你是——"

"我是金企呀，十年前，我到这里来送过稿子。后来，我下海了，但一直没忘记你，也没忘记文学。"

"哦。"董重终于想起来了，说，"对，对，你就是金企。听人说你现在是大企业家了，把成批的花木组织出口。快坐，快坐。你有什么事吗?"

"也没什么事，主要是来看看老师。"金企看了看董重手中飘着酒香的茶杯，悄悄地笑了一下。金企与董重自然没有多少接触，但董重的许多趣事他却耳熟能详。第一，董重是个资深的编辑，是编辑部唯一的一位编审，几十年来培养过不少好作家，亲手签发过不少有影响的佳作，眼力是一流的。凡董重签字可发的作品，总编辑决不会打下来！第二呢，董重是个爱酒如命的酒仙，他平日解渴是不用茶水的，而是用酒水。董重认为喝酒的最高境界有三个标准：不论酒的优劣，皆喝得津津有味；不论什么场合，哪怕是站在小店柜台边，也能喝个尽兴；有没有下酒菜无所谓。这些董重都能做到，所以他是个真正爱酒也懂酒的人。

金企忽然从手提包里拿出一瓶“酒鬼”和两只小酒杯，摆在桌子上，说：“董老师，十年前，我来送稿子，你看后还提了意见，虽然没发，但我心存感激。我心里一直有个愿望，想和老师喝一次酒，听老师谈一谈文学。我不敢请你到饭店去，怕你不赏脸。”

随即，金企打开酒瓶盖，浓烈的香气喷涌而出。

董重的鼻翼翕动了几下，说：“正上班哩。”

金企指了指墙上的挂钟，快五点半了，该下班了。

他们开始兴致勃勃地喝酒。没有下酒菜，也没有服务员的干扰，董重心里说：这金企不俗！

一瓶酒很快就喝得所剩无多。

董重说：“你还在写吗？”

“我一有时间就看就写。如今的生意人，讲究个文化品位。特别是在外面，喜欢和有素养的人打交道，我当然很希望自己的作品能发表在刊物上。”

“你拿给我看看。”

“别急，董老师，喝完这杯，干！”

董重只觉得全身发热，头上冒汗，舒服得想立马倒下就睡。

金企递给董重一沓打印好了的稿子，是一篇小说，题名《花木情》。

董重扯亮了电灯，有一行没一行地看起来，看完了，感觉似乎不错，说：“我看是可以用的，干脆给挂上发稿签吧。”他顺手取来发稿签，缀在稿子前面，在“二审”那一栏中写上：“这篇小说有新意，建议发下一期。”

金企站起来，说：“董老师，我送你回家去吧，我的车停在下面。”

董重说：“你先走。我得把该发的稿子理一理，明天好交总编终审。”

金企彬彬有礼地走了。

第二天上班后，董重想起头天看过的金企的稿子，又重新看了一遍，越看越心虚，背上竟沁出了一层冷汗。这样的稿子怎么能发呢？他怎么会写下这样荒唐的审稿意见呢？全是酒在作怪！

这天上午，他气得没有喝一口酒。

过了两天，他打了个电话给金企，说是要请他在一家饭店吃饭喝酒。他带了一瓶“酒鬼”去，预先点好了菜，并付了款。

金企兴冲冲地来了，说：“绝对不能让你董老师埋单。”

董重说：“钱我早付了。来，喝酒。喝完酒，我有话跟你说。”

酒喝完了，董重没有丝毫的醉意。他从口袋里掏出稿子，交给金企，说：“对不起，这个稿子我重新写了意见，离发表还是有一些距离的。那天，我是喝醉了，酒醉误事，请你多多原谅。今天我请你喝酒，算是还你的情。当了几十年的编辑，我不能晚节不保。喝完这顿酒，我就戒酒了。希望你好好地写，写好了，我仍然会认真地看。文学创作这玩意儿，是要下苦工夫的。”

董重说完，从容地站起来，缓缓地走了。

董重真的戒酒了，编辑部再也闻不到酒香了，他看过的稿子上再也没有酒的气味了。但年轻的总编辑发现，董重那个茶杯里虽然沏的是很浓的茶，但端杯的姿势，小口小口啜茶的神态，让人感到他仍然是在喝酒……

# 大南瓜

〇曾　平

一只只金灿灿、黄亮亮的南瓜睡在田野里，像睡熟的孩子，肉嘟嘟，胖乎乎，时不时地，梦见了喜事，还要咯咯咯地欢笑不止。

竹台子早搭起来，红绸子早缠在台柱子四周。十二挂大鞭炮被十二根长竹竿悬挂得喜气洋洋。“沙河村南瓜大赛”的横幅在金秋的微风中频频欢笑。

坝子里围了不少人，比赶集还热闹。远远近近前来购买南瓜的商贩，早将车辆横七竖八地停在赛场四周。

所有的目光都集中在竹台子上。台子的两排长凳上，依次摆放着数十个参加比赛的大南瓜。一杆大秤悬挂在台子正中，那是决定胜负的裁判。

老村主任贾大伯不紧不慢地裹起叶子烟，有滋有味地吸着。嘴里，鼻孔里，徐徐地喷出一圈一圈稳操胜券的烟雾。闭上眼睛，贾大伯都能知道结果。沙河村哪块地，哪处缝隙种出的南瓜，他不一清二楚？

沙河村的南瓜远近闻名。沙河村的南瓜大赛没有奖金，没有级别，没有领导，连奖牌都没有一块，属于村里人自娱自乐。但大伙儿看重，评出来的大南瓜，一年四季，都被农户们挂在嘴上。

贾大伯的南瓜被评为大南瓜与他是老村主任无关。参赛的南瓜，全搬在竹台子的长凳上，挨次用大秤，斤斤两两地称出来。贾大伯种南瓜有绝技，选种、育秧、上肥、去蔓、授粉、护瓜，每个环节都有心得。贾大伯毫无保留地传授出来，但其他人种的南瓜始终比他的差一截，他的南瓜已连续六年夺冠。去年，贾大伯胜得有些悬，他的南瓜仅仅比邱大伯的重了一斤二两。今年，贾大伯在肥料和授粉上花了不少功夫，他天天都去看自己和邱大伯的南瓜。南瓜天天躺在田野里，不用称，贾大伯也可以断定，今年自己参赛的南瓜比邱大伯的，少说也要重五斤。

让开！让开！有人吼叫。

人群立刻让出一条通道。

人群惊叫。

四个精壮后生，上气不接下气地抬着一只南瓜，往竹台子这边奔来。

贾大伯哪里还能吸叶子烟，霍地站起来，眼睛紧紧盯着抬来的南瓜。贾大伯哪里见过四个后生抬的南瓜。全村人都没见过。村子里，哪家能干的媳妇喂出了大肥猪，才由四个大后生抬着，在村里挨次地让人看，但一年难得有几回。

秋生走在最前面，挥舞着双手，像一个蹩脚的推销员，拿着一个电喇叭高吼，要大家看他的大南瓜，他要教大家种这样又大又能卖好价钱的大南瓜。秋生是贾大伯的儿子，现在是沙河村的村主任。

秋生迫不及待，人群迫不及待，要那两个执掌大秤的后生，快些过秤。其实，贾大伯也迫不及待。

在一群人的手忙脚乱中，大南瓜的斤两被秋生那家伙用电喇叭吼叫出来：323 斤 7 两。

足足比自己的大南瓜重了 200 斤。

秋生就要宣布他的大南瓜。

贾大伯高高地举起烟杆，站出来。贾大伯说，这南瓜是从哪里冒出来的？全村家家户户的南瓜，他一清二楚，咋从来不知道？贾大伯一边说，一边慢悠悠地抽着叶子烟。

秋生说，村里。

秋生要大伙儿去看，这样的南瓜还有好几十个呢。

秋生在村里搞了一片大棚，把地箍得一丝气也不让喘，白花花的。

贾大伯去看过，里面暖和得像三月天，一年四季的菜，天天都能种。薄薄的一层膜，把春夏秋冬全颠覆了，不是胡扯嘛。

贾大伯再不去秋生的大棚。

秋生用电喇叭说，他的南瓜之所以长那么大，是用了新品种、新技术，他要大伙儿去看他的大棚，他要教全村的农户种大棚，用新品种、新技术种大南瓜。

贾大伯一把夺过秋生的电喇叭，说，你这样的南瓜能吃？

秋生哈哈大笑，说，咋不能吃？订货的人多得很！你问问，价钱比你的差？谈到钱，谈到销售，秋生眼里全是火星子。

贾大伯脸红筋胀，说，秋生，你天天给我谈新品种、新技术，我问你，假如圈里的猪，长到八九千斤一头，你敢吃？地里的鸡鸭，长到两三百斤一只，你敢吃？田里的稻谷，长到一两斤一穗，你敢吃？

秋生笑嘻嘻的，说，没看见，还不是吃了。

贾大伯说，秋生，我不跟你笑。我天天都在琢磨。假如有一天，吃新品种、新技术的人，长到三四米高，七八百斤重，你说，是个啥样子？

秋生说，咋会？

贾大伯说，像你们这样整，咋不会？

# 兽　医

○周仁聪

城市的天空里飘着三月的花香，庄医生站在自家的花园里伸了个长长的懒腰。今天，是他的宠物医院八周年庆典，他已叫人在医院门口张灯结彩，并请了鼓乐队，准备热热闹闹吹吹打打一整天。

八点三十分，庄医生从楼上往楼下走，再走出大门开始上锁。他终于忍不住要回过头去看看他这栋别墅，今天，他有一种异样的心情。回想当初，他一毕业就直奔了这座大城市，想到这里来淘金。但是，他一个学畜牧兽医专业的能做什么？后来，经过市场调查，开宠物医院应该是有前途的。最初庄医生还有点担心，但没过多久，生意出奇地好，再后来他就扩大了规模。了解他的人都说他运气好，事业一帆风顺。而他也庆幸自己当初选对了专业，学到了过硬的专业知识，让那些坐着高档小车来的宠物主人们焦急而来，满意而归，甚至还给他送来了锦旗。

庄医生有时也想，挣这些城里人的钱真是容易，他们为了他们的猫猫狗狗，走进他的医院来几百上千地出手毫不犹豫。

有时一些事也令这个在农村长大的庄医生暗自发笑，那些城里人总是将宠物当成自己的小孩子，给它们从头到脚缝制最高档的衣裳，铺设最好看最舒适的小床，稍有一点伤风感冒就会焦头烂额地找到医院，托关系找熟人要庄医生亲自出马亲自诊治。有衣着讲究的小女人们还会哭哭啼啼口口声声将宠物唤作“幺儿”，她们会用自己漂亮的小嘴去亲吻宠物们的毛、嘴、鼻子和脸，她们中还有人会为死去的宠物举行一个隆重的葬礼……

当然，庄医生也总结出了好多“打理”他们的经验，比如宠物积食了他会对它的主人说是肠胃病变了，如不及时治疗就会有很严重的后果；伤风感冒了就说是现在正流行着一种动物瘟疫，然后就给它们开出最贵的药，反正它们的主人有的是钱也愿意花钱。几年里，庄医生就是用从它们主人手里接过的钱扩大了规模买了别墅还有高档轿车。

“随着社会的发展，养宠物的人会越来越多，宠物医院会越来越有市场……”庄医生开着车，收音机里正在播放关于他这家宠物医院八周年庆典的消息。

医院门口锣鼓喧天，人来人往好不热闹。庄医生停车上楼，那里已有好多人和宠物在那里等他了，因为今天是八周年庆典，医院里将五折优惠为宠物做全身保健按摩。

屋外喜气洋洋，屋内忙忙碌碌，天黑下来的时候，鼓乐队结完账走了，各种动物的叫声也慢慢少了，他的助手也都先后下班回家。

庄医生燃上一支烟，在烟雾里，嘴角泛起了一丝微笑。

突然，外面传来咚的一声闷响。他跑出去，外面下起了雨，街沿上，一个蓬头垢面的男人扶着另一个蓬头垢面的男人倒在门口的休息椅上，被扶的人表情痛苦，不断呻吟，右手腕用一件旧衣裳裹着，不停地淌出鲜红的血来。

“医生，你救救我们这个兄弟，他胳膊可能断了……”

“这是怎么回事?”庄医生皱了皱眉头。

“工地塌方，有两个兄弟倒了霉，工地老板看见出事就跑了，我们将两个兄弟从土里刨了出来，送去医院，医院要我们先交住院费，说这是规定。我们身上没有钱，那个受重伤的兄弟可能已经死了，我只好将这个兄弟送到你这里来，能活一个是一个。你就做做好事，救救他吧……”

庄医生以最快的速度将病人让进屋抬上躺椅：“天啊，我不是人医而是兽医啊……”然后，他又以最快的速度给病人做了简单的处理。

病人失血过多已处于休克状态。

“赶紧找人医！”庄医生大吼，然后将伤者扶到车上，以最快的速度往市里最好的医院冲去……

天亮的时候，庄医生回到了自己的宠物医院。助手们都已到齐了，庄医生神色凝重，哑着嗓子说：“今天不营业……”

一年后，“第一民工医院”在宠物医院旁开业，那是庄医生投资开设的，职工都是庄医生请来的退休医学专家。

庄医生桌上，放着一小堆皱巴巴的纸币，是那天那个受伤的民工托人送来的，一共二十六元三角整。

庄医生说，他要将这一堆钱放在显眼的地方随时提醒自己。

# 最聪明的鱼

○天空的天

陈皮收受了一笔回扣，不小一笔回扣。这是陈皮被提为市银行副行长后，收受的第一笔回扣。因为是第一次，心里难免有些紧张忐忑。他以为这种感觉很快就会过去，可是三天了，他的心还没有恢复平静，并且又增加了失眠。其实不是增加，是从他收受回扣那天起他就睡不着觉了。他不知道怎么会这样，或者说他不知道怎么调整自己的心理。于是想起了父亲，想向父亲学点经验。

父亲在银行待了一辈子，和钱打了一辈子交道，最后从省行行长的位置上全身而退。陈皮觉得父亲能不被抓住任何把柄地退下来，肯定有很多自己独特的经验。他觉得父亲在银行工作这么多年，不可能一点事儿没有。每天看着那么多花花绿绿的钱而不动心的人，天底下能有几个？父亲不是圣人，不可能在河边走而不湿鞋。父亲没让别人看见过他湿鞋，肯定是因为他掩藏得好。陈皮想向父亲学的就是这个经验。他买了点菜和水果，回了父亲家。

陈皮见到父亲时，父亲正在做鱼饵。父亲退休前就喜欢钓鱼，退休后更加痴迷于钓鱼。父亲钓鱼已经到了专业的程度，自己做鱼钩，自己做鱼饵。外面买的根本不用。父亲做鱼饵的认真劲儿赛过饭店的厨师。陈皮从来没见过父亲做鱼饵，但总听母亲唠叨父亲把厨房弄得到处是鱼饵。

父亲见陈皮回来，放下手里没做完的鱼饵，问他，回来有事吗？

陈皮说，没事，就是来看看您和妈。

父亲说，你妈上老年合唱团唱歌去了。

陈皮说，我妈还不肯和您学钓鱼?

父亲说，你不也不肯学吗?

陈皮没话说了。父亲见陈皮不说话了，又继续做他的鱼饵。鱼饵的主料是米饭，然后加点馒头屑面包屑和切碎的小鱼等，最后还倒入了点香油。

鱼饵里还放香油啊? 陈皮有点意外。

鱼饵不香，鱼怎么能上钩呢。

父亲做好了鱼饵又做鱼钩。父亲的鱼钩让陈皮吓了一跳。在陈皮的印象里，鱼钩就是把一根大头针弯成钩状的样子。而父亲的鱼钩是十几个这样的鱼钩尖尖向外绑在一起。这样的鱼钩很可怕，鱼不论从哪个方向咬住鱼钩都不会逃脱掉，也就是说，不论多灵敏的鱼，一旦咬钩，就会丧命。

陈皮说，您的鱼都是用这样的钩钓上来的?

父亲说，是啊，尤其是那些大鱼，小钩根本钓不上来。

父亲把鱼钩绑好，拴在钓绳上，收好渔具和鱼饵，问陈皮，去不去钓鱼? 陈皮说，好啊，反正我今天没什么事。

陈皮和父亲一起来到父亲经常钓鱼的湖边。这是他第一次陪父亲钓鱼。他很少钓鱼，没时间，也没耐性。

在湖边选好了位置后，父亲熟练地给鱼钩上饵。父亲在那个魔爪级的鱼钩上，包了一团鱼饵，比鸡蛋还大。陈皮吓了一跳，这么大的鱼饵，鱼能吃进嘴里吗?

父亲说，鱼的嘴大着呢。

陈皮说，只有笨鱼才会上你的当。

父亲说，那你说说看，什么样的鱼是聪明的鱼?

陈皮说，当然是既吃到饵又咬不到钩的鱼了!

父亲看看陈皮，没说什么。

陈皮也没再说什么，在父亲身边架了个渔竿，也坐下来钓鱼。陈皮没用父亲那么恐怖的大鱼钩，只用了一个小鱼钩，也没弄父亲那么大的鱼饵，而是刚好把这个小鱼钩包住的一小团。陈皮觉得他的鱼饵会很轻易地被鱼吞进嘴里，在鱼吞饵的一刹那，他一提线，鱼就能被钓上来了。可事实让他很失望，有好几次，他都明确地感觉到鱼咬钩了，结果提线一看，鱼没上钩，鱼饵却没了。翻来覆去几次，陈皮就泄气了。陈皮说，看来我今天碰到的都是聪明的鱼。对了，爸，你说这鱼是怎么做到既吃到鱼饵又不被鱼钩钩住的呢?

父亲像是没听见陈皮的问话，专注地盯着他的渔竿。父亲的渔竿这么长时间一直没动，可他的手却一刻也没离开过钓竿，好像他的手能通过钓竿感知到水里的情况。忽然父亲手里的渔竿动了一下，同时鱼线沉下去一些，鱼咬钩了。父亲并没有马上提线，而是等了一会儿，然后奋力一提，一条大鱼随着鱼线忽地跃出水面。好大的鱼！陈皮惊叹。

是一条大草鲢，足有二斤重。

陈皮说，这条大笨鱼，太笨了，竟然不知道这么大的饵里藏着这么大的陷阱。

父亲看着这条还在做垂死挣扎的鱼说，陈皮你错了，每一条上钩的鱼在成为被人嘲笑的笨鱼之前，都曾是你所说的聪明的鱼，它们怀着侥幸心理小心翼翼地吃鱼饵，越吃越贪心，越吃越大胆，最后都会命丧鱼钩。所以既能吃到鱼饵又不被鱼钩钩住的鱼，不是最聪明的鱼。

那什么样的鱼是最聪明的鱼呢？陈皮问。

父亲说，最聪明的鱼就是从来不吃鱼饵的鱼。

陈皮说，世界上有这样的鱼吗?

父亲说，当然有，只是很少而已。要做一条聪明的鱼，必须禁得住各种各样的诱惑，否则早晚会成为一条被人嘲笑的笨鱼。其实很多鱼都知道这个道理，只是控制不住自己而已。

陈皮的心忽然慌乱地跳起来，他不敢抬头看父亲的脸。

回到家，陈皮把回扣退了回去。奇怪的是，他的心立刻安静了下来，失眠也不治而愈。

# 旧　书

○孙道荣

她微微佝偻着腰，一个一个办公室挨着敲门。大家都认识她——收旧报纸的老太太。

每个月的最后一个周末，她都会准时出现在办公楼里。单位规定，这天，她可以上门收购旧报纸。

因为工作性质的原因，我们单位几乎每个人都订了好几份报纸杂志，平时看完了，就码在办公室一角，等着她上门收购。卖一次旧报纸可以卖几十元，女同事拿去买零食，大家共享。

她五十来岁，头发已经花白，讲一口浓重的郊区方言。每次来，她都会拎一个布袋子，里面塞着各种各样的布条，看得出，这些布条都是用旧衣裳撕出来的，她用来捆扎旧报纸。另一只手上，拎着一杆小秤。

“卖报纸!”有人站在楼道里喊一嗓子，她就会立即从某个办公室跑出来，瞅一眼，乐呵呵地应答着。她几乎能够认出这座楼里的每一个人，甚至谁多长时间需要处理一次旧报纸，她都了如指掌。因此，如果一段时间你没有卖过旧报纸，下次楼道里看见你，她一定会特地问你一声，旧报纸要卖吗?

她躬着腰，将堆在办公室角落里的旧报纸，一摞摞搬出，理整齐，码好，然后，用布条捆扎起来，一捆一捆地过秤。与我们经常看到的商贩那高高翘起的秤杆不同，过秤的时候，她的秤杆，总是往下垂，秤砣几乎要从秤杆上滑落下来。这样，报纸可以称得重一点。没人在意她的秤，但她一如既往，要把秤让给她的客户。称一捆，她报个数，让你记下来；再称一捆，再报个数。一捆一捆称完，她会让你加一加，有多重。而她自己，似乎从不记数，你告诉她多重，她就按那个重量，算账给你。有时候，账里面有零头，大家就说算了，她却总是很认真地从包里掏出一大把硬币，一分不少地付清。

有时候，她会兴高采烈地告诉我们，旧报纸又涨价了，涨了一毛多呢。她会按新的价格算给我们。她说旧报纸涨价的时候，高兴得就好像她是卖旧报纸的，得了多少实惠似的。也有的时候，她会神情黯然地对我们说，最近旧报纸跌价了，价格只能低点了。说这话的时候，也好像她是卖旧报纸的，莫名地损失了似的。其实，大家处理旧报纸，没几个人真在意那点钱。倒是她，每次都很认真地告诉我们近期的旧报纸价格，涨了或者跌了，晴雨表一样。

她的实诚，使办公楼的人都对她充满好感。这也是她能够这么多年上门收购我们旧报纸的原因吧。

也有的时候，她会显得很小气。比如每次整理旧报纸时，看到夹在报纸里的杂志或者书，她都会将它们剔出来，单独捆在一起过秤。她说，书和杂志比报纸便宜一点。

有一次，我搬新办公室，整理物品时，将一些旧书扔进了旧报纸堆里。正赶上她来收购旧报纸。她将那些书一本本拣了出来，问我，这些书真的不要了？我点点头。她将书单独捆扎好。我笑着对她说，其实，书和旧报纸的价格，一斤也就相差毛把钱，没必要分得这么细。她笑笑，没有回答。

每个月的最后一个周末，我们都能看见她微微佝偻的身影。这么多年来，她就像一张旧报纸一样，穿梭在办公楼里。

那天，我们去郊区的一个山村采访，村支书领着我们参观了他们新建的村图书馆。图书馆是一间民房改建的，书架上，整齐地码着一排排书。忽然，看见有本书很眼熟，打开，扉页上写着我的名字。想起来了，是我上次搬办公室时处理掉的。再一找，另外几本也在。

我好奇地问村支书，这些书从哪儿来的?

村支书说，是村里的林老太太捐赠的。她经常上城里收旧报纸，如果收到旧书，她就会留下来，捐给村里或者学校。这几年，她已经捐了好几百本了。

忽然明白了，收旧报纸的老太太为什么每次都会将夹在报纸里的书刊拣出来。

摩挲着那些旧书，我感到一丝羞愧，也嗅到了旧书里散发出来的独有的香气，很温暖。

# 尴尬风流新编

○王　蒙

## 好日子

周末，老王到女儿家去，晚饭后照例是八岁的外孙的功课：吹萨克管。

开始，女儿想把孩子培养成肖邦，至少也要培养成赖斯，据说现任美国国务卿赖斯的钢琴弹得很好。再说，女儿爱唱的流行歌曲“我爱你，就像老鼠爱大米”，客观上有向赖斯表示友好的战略性含义，因为赖斯在汉语里当做“大米”解。

后来，学钢琴未果，又给孩子报名参加了管乐队。老王说，在乐团，吹管乐是要发营养补助费的，这证明儿童不适合学管乐。

女儿示意父亲不要废话，不要干扰她对于孩子成材的长远部署。

孩子做了一天的功课，有点疲劳，还有点咳嗽，又惦记着饭后玩一会儿电脑游戏，吹得有些心不在焉。（按，许多父母的育儿壮志都是毁坏在电脑游戏软件手里的。）

于是孩子的管子吹得忽快忽慢，断断续续，忽高忽低，呜呜咽咽，找不着调，更没有节奏，而女儿家养的一只比格狗，随着萨克管的动静，抻直了脖子，跟着惨叫。老王听着就像听到人与狗的同声哭泣一样。

于是女儿训斥孩子吹得不好，并声言，由于吹得没有进步，再加吹五遍。

于是孩子无边无沿地继续吹下去，狗也声声断断地哭下去。

老王感动得几近落泪。他伤感地说：“我相信，这支曲子的名字一定是《悲惨的童年》。”

女儿大惊，说不是呀，这首曲子的名字是《好日子》。

老王也没有想到，他很不好意思。他觉得自己的鉴赏乐曲的能力实在是太差了。

## 故　乡

老王出生在大城市，幼儿时期被上一辈人带到故乡住过两三年。后来又回到了大城市。

直到四十多岁了，老王回了一趟故乡，他已经不认识故乡的任何人，也没有任何人认识他，但是说起来，故乡的老年人依稀记得有过他们这么一家，说是早在20世纪30年代，这一家人就迁往城市去了。

故乡很穷。穷得令人恐怖，因为那次去，老王没看到村里一个人穿着囫囵的衣裳，个个破衣烂衫，露着皮肉。到处都是盐碱地。没有任何基础设施。

二十年后又去了一趟，已经温饱，已经有穿真皮夹克和羊毛衫的了，已经有电灯电话自来水电视机洗衣机，到了县城，还看到了购物中心，还卖法国化妆品，还卖等离子与液晶电视。老王激动得热泪盈眶。回到大城市，老王找到一个好友兼同乡，向他叙述两次回故乡的感想。老王没有想到，对方对这个话题毫无兴趣，老王提起了好几次，都被对方岔乎过去了。

他后来想了想，对方从小在故乡，直到二十几岁考上大学才得到了离开穷乡僻壤的机会，他根本不想让人知道他来自那个曾经十分贫困的山村。而老王一辈子基本上在城市，他急于找到自己的故乡，找到一块哪怕是最最贫瘠的土地，尤其是在他超过了七十岁以后。

## 红　花

前年初冬，老王做了一次白内障手术，手术前他已经老眼昏花，入院时，经过一个住院区的小花园，他仿佛看到了飘飘黄叶与满地灰尘中有一朵小红花。

他很激动，寒风已经凛冽，气温已经降到十度以下，四肢已经发抖，他的视力已经只有0.01，但是他看见了一朵坚持在初冬开放的小红花。

他向子女、向前来看望的单位同事说起这朵花，旁人听了没什么反应，不太相信初冬有花。女儿还说，可能是由于老爹眼底出血，误以为开了红花。

出院时由于兴奋，由于视力似有恢复，也由于单位的现任领导来了，他只注意回答领导的关切的提问和表达对于领导的感谢，他没有注意那朵红花。后来他想，那朵花理当开败了，气温进一步降低了嘛。

两年后他应一个老同学的邀请到一家宾馆聚会，庆贺春节。那天正是天寒地冻，北风呼啸，他发现宾馆大门前的树上有几朵小红花。他刚一说，同学们就告诉他：“假的。”

假的？他觉得有点悲哀。有点困惑。有点好笑。有点天真。有点善良。有点轻信。有点廉价。有点美丽。有点梦幻。有点小儿科。还说什么呢？北方就是这么可怜，一年中有半年多大致没有叶更没有花。

他后来发现了许多宾馆、疗养地、中高级住宅小区，都有在干树枝上绑小红花的。

他与女儿说，女儿不知怎么想起了欧·亨利的小说《最后一片藤叶》，说，这无非是人的自我安慰。

那么请问，他动手术那一年看到的那朵小红花呢？也是假花？

不，他坚决不相信。那个时候没有这样的习惯，那个时候市场经济还不发达。那个时候欧·亨利的小说还没有普及，那个时候，医院的人不会有闲工夫去弄小儿科的假花。

那是真的！老王在梦里大叫。把王太太吓得不轻。

后来孩子们也知道了这事，他们面面相觑，见到老王不说别的，赶紧表白："爹，我们绝对没有不相信——那是真的！！！"

## 施舍

老王到超市购物，经过一个过街天桥。这天，过街桥上站立着一个蓬头垢面的侏儒，面前放着一个盘子，里面放着几枚硬币：她是在等待施舍。老王觉得她特别可怜，就给了她一百块钱。

那个人说："谢谢你，老爷子……"他听那人的声音又像是个男子。他看了一眼，分辨不出来，所以一开始觉得像女性无非是因为那人的头发比较长罢了。老王有一种失落的感觉。

购物归来，又看到几个乞食者，老王匆匆走过，他不想再施舍了。

回家和家人一说，有说不必施舍的，说是他们也有组织，有头目，有上缴，也有存款，而且有的人是由于好逸恶劳才乞讨的，反正正像商品有假冒伪劣的一样，乞讨者中也有假冒伪劣的。

有的说多少给一点也好，反正生活一点困难没有偏要去乞讨者是少见的，施舍也是一种补救，是一种微乎其微的再分配。

……老王寻思，自己有时候突然慷慨，有时候一毛不拔。慷慨的时候也有为自己的想法，多做好事多积阴德；一毛不拔的时候更有想法，我还有困难呢，怎么帮助你？或者纷纷来伸手，我怎么办？

后来过街桥上不怎么见乞讨者了，说是被警察驱赶走了。老王长出了一口气，不必多想这些事了。

时间长了他又有点遗憾，想施舍却少有机会了，他得不到那种直接做好事而不必经过任何中介的感觉了。

倒是有些慈善机构动员他捐钱，他有点犹犹豫豫，左顾右盼，别人捐多少他就捐多少，别人不捐，他也不捐，能不捐就算了。做好事，施舍是我自己的快乐，为什么要你代劳呢？怎么搞的？这样一想，他捐钱时也得不到做好事的感觉了。

# 他在北京名气大

○秦德龙

他在北京名气大。真的，他在北京名气很大。我们乡下人，一般都知道他。不信的话，你打开电视看看。在访谈节目露脸的，充当嘉宾的，就是他。对，戴个鸭舌帽，面前摆个牌子的大饼子脸，就是他。你别不信啊，他真的是北京的名人呢。

是的，他白手起家，赤手空拳闯北京，绝对是农村包围城市的典范。这也没什么奇怪的。他只是头顶一颗聪明的脑袋，混上了开往北京的列车，混入了进京的打工队伍。后来，他曾在电视里讲过，当初进京，是钻到硬座车厢的地板上，委屈了一夜的。

他是怎么发的，这可就不好说了。记得他第一次回来的时候，哄着乡长买了他弄来的一批《健康手册》，并由乡长发给了每个家庭。是啊，健康很重要，谁不需要健康呢？农民更需要健康了。没有健康的农民，谁来种粮食呢？全国人民吃什么呢？我们农民读了他弄来的《健康手册》，脸蛋更红润了，体格更健壮了。话说回来，他是怎么忽悠乡长的呢？据可靠的版本说，他是这么说的，中国人均藏书量只有 0.39 册，他为此感到心痛。所以，他要弄这批书回来，既可增强农民的健康，又可增加农民的精神食粮。乡长认为他说的话有道理，同时，乡长发现，他是这本书的合著人之一，虽然排名在后，但毕竟是我们乡里人第一次出版的图书。

大概，他就是这样淘到了第一桶金的。后来，他又淘到了第二桶金，弄了一火车皮二锅头回来，让全乡人民乃至全县人民喝上了正宗的北京二锅头。这就相当于和北京人民共同品尝“国酒”了。因为，县长说二锅头就是北京出产的“国酒”。就这么，他淘到了人生的第三桶、第四桶乃至后来的更多桶金。他也真就是玩大了。我们乡的人，试图在北京设个办事处，可根本就找不到他了。问他媳妇，他媳妇说，他在北京是干吗的，连我都不知道！

但我们都认为，他确实把北京占领了，北京城站起了一个庄稼汉。到北京闯天下的人多了，有几个能像他这样的，站住了脚后跟？不少人吃了败仗，嚷嚷着要撤离北京呢。是的，一般的外地人，在北京只能当蚁族，只能选择蜗居，要不然，就得打道回府，老老实实地在乡下做一辈子农民。

终于，有一天，我们看见他回来了，拎着大包小包，风尘仆仆。乡下人是热情好客的。不知为什么，我们把他当成了客人，围着他，同他山南海北地唠嗑，听他滔滔不绝地讲述北京的故事。我们竖着驴一样的耳朵，听得津津有味，陶醉得如同烂泥。乡下人见识少，谁不敬佩一个占领北京的泥腿子呢？谁不知道，他在北京的名气大呢？我们崇拜他，把他当成了神仙。说句实话，许多家庭，至今还保存着他弄来的《健康手册》，书皮都翻烂了，也舍不得扔掉。还有的家庭，喝完了二锅头，瓶子都没卖破烂，不为别的，就为了让他看看。

显然，他受到了感动。乡亲们的情谊，太感动他了。他语调激昂地说：“乡亲们，我永远也忘不了你们，永远也忘不了家乡！是故乡的小米饭将我养大，我必须好好地报答。这次回来，我就是要完成一个夙愿的。我要与乡亲们合作，向联合国教科文组织申请，将家乡申报为世界非物质文化遗产！”

听他说出“联合国”，乡亲们目瞪口呆。联合国，我们农民是听说过的，但总觉得很遥远，遥远得与本乡本土毫不相干。现在，“联合国”从他嘴里蹦出来，和本乡本土扯到了一块儿，而且，要申报世界非物质文化遗产，这就不能不让人惊喜万分了。

“实话说，我在联合国里没熟人。”他语气平静地说，“可这正是我们的优势。联合国最讲究什么？最讲究‘诚信’二字。越是没熟人，越是给办事，这就是联合国的规则，也是国际惯例。当然，申报世界非物质文化遗产，亦非易事。河南有个风景区，‘申遗’申了20年。不过，我是有信心的。再说福建的土楼吧，不就是福建农民住的房子嘛。可人家‘申遗’成功了。福建人能‘申遗’，我们为什么不能？”

他的一席话，乡亲们备受鼓舞。

“请大家献计献策，看看我们乡，什么项目能申遗？八仙过海，各显神通，群策群力，共铸辉煌。”

乡里的干部们听说他回来了，而且正在征集“申遗”项目，全都蜂拥而至了。主政的乡干部，早就不是助销《健康手册》那一拨儿了，也不是代销二锅头那一拨儿了。这一批新干部思维很敏捷，天天都在想招商引资，天天都在想做大做强。真巧，听说他从北京回来了，而且，要为本乡跑“申遗”，真是高兴得喘不上来气了。

乡里的干部们成了他的忠实听众，听他口若悬河地阐述“申遗”的可能性、必要性和必然性。乡里的干部们听完了他的阐述，高兴得嘴都合不拢了，把他拉进了县城的大酒店。县城里的好酒店很多，想上哪家上哪家，想怎么喝就怎么喝。

进了大酒店，乡长模仿着戏词的腔调，试探性地问：“这回来了，可得多住些日子了？”

他的回答很干脆，也是戏词的腔调：“这次回来了，我就不走了！”说着，他将一份申请宅基地的报告，递给了乡长，

乡长笑笑，将他的申请书放到了一边，低声说：“乡里有许多年轻的后生，要跟着你上北京打工呢。其中，有几个漂亮的姑娘，还没结婚呢，

说是要给北京人生孩子，要挣北京的户口呢。”

他哈哈大笑，笑声如雷。

乡长问：“你笑什么？年轻人都说要向你学习呢，你是他们的好榜样！”

他压低声音说：“还是先给我批宅基地吧。我有了宅基地，我盖了房子，我在家乡就有了办事处，我就能为家乡努力‘申遗’了。”

乡长趁着酒兴，直率地说：“你还是先把这拨儿后生带走吧，谁让你在北京名气大呢！”又说：“你在北京多费心，多跑跑，争取把‘申遗’弄成。当然，给你批块宅基地，很容易。放心，‘申遗’成功之日，就是你获得宅基地之时！”

他的脸上现出了苦笑。这回的玩笑开大了。

# 名医失手

○叶千章

年过五旬的徐教授是全省闻名的心脏外科医生，经他亲手治愈的病人数不胜数，从未出过任何一起医疗事故。

这天，应外省某市一个医院的邀请，徐教授操刀为一位心脏病患者做手术。几个小时后，手术做完了，疲惫的徐教授心里颇感满意，因为手术相当成功，病人痊愈指日可待。

第二天一大早，身穿白大褂的徐教授踌躇满志地踏进病房，他想看看那位病人的恢复情况。此刻，他的心里甜丝丝的。多少次了，每当他踏进病房看望术后的病人时，迎接他的无一不是病人及其家属的感激涕零，甚至是偷偷递上厚厚的红包。当然，徐教授总是一笑拒之。他不在乎红包，他愿意共享的是病人一家劫后余生的其乐融融的感觉。

可今天，徐教授失望了，只见病房里乱糟糟的，值班医生和护士满脸紧张地忙个不停。徐教授吃了一惊，刚要上前问出什么事了，却见大伙儿已停下手不忙了，因为病人已经死了。宣布不治的病人正是徐教授昨天动过手术的那位。

徐教授感觉五雷轰顶，这怎么可能？这样的心脏手术自己不知做过多少例，从未失过手。何况这个病人的情况不算太差，怎么会这样？

这时，病人家属跟徐教授打招呼了，不是他原本想象中的感谢，而是破口大骂："你是什么鬼医生？还专家呢，骗子！"要不是别的医生、护士手忙脚乱地拉走徐教授，徐教授说不定要挨上几拳。

在医生办公室里，徐教授脸色苍白，头痛欲裂。病人的责骂使他无地自容，他是个爱惜声誉胜过生命的人，今天发生的事对他打击太大了。稍稍镇定下来后，徐教授叫来值班医生，详细询问起病人死前的情况。值班医生竭力躲避徐教授的眼睛，嗫嚅着："徐教授，死者家属骂两句是一时伤心所致，这种情况我们见多了，您别往心里去。再说这事跟您也没关系，完全是意外，您的辛苦费是一分也少不了的。"

徐教授一声断喝："别跟我提钱的事！我问你，到底发生了什么？你们是不是有事瞒着我?"

那医生见徐教授神情激动的样子，只好叹口气说："实际上也没什么，只是病人家属无意中把催款通知单给病人看见了，然后病人就死了。"

徐教授愣了愣，转身像旋风一样冲出去，直奔病房，那动作完全不是一位一向老成持重的教授的样子。进了病房，徐教授飞快地找到那张催款通知单，只见上面写着："请速补缴手术费用10万元整，逾期不缴，将……"

徐教授明白了，病人不是因为手术做得不成功而死，而是被天价费用吓死的。要知道，这是一个刚刚做过心脏手术的病人啊！而这样的手术通常只要3万元就够了。

望着失魂落魄、穿着朴素，甚至说得上寒酸的死者家属，徐教授深深弯下腰去……

后来，徐教授提前退休了。很多人感到不解，因为他才55岁啊！对一位成熟的医生来说，这个年龄段正是事业的黄金期。

# 无法分手

〇郑成南

两人在一起，没她想象的那么完美和幸福。当最初的热烈情感慢慢寡淡乃至麻木后，她准备跟他提出分手。

那天，她想直接跟他坦白却开不了口，打算等他上班后再发短信。那天，他跟往常一样，吃了早餐挎起公文包急匆匆赶往单位。许久，她开始编辑短信，准备发送时，电话突然响起。打电话的是他同事，说他盲肠炎发作正被送往医院。她来不及思索，立刻跑到医院。他已经被推进手术室，出来后，看着他一脸憔悴和苍白，她不忍心开口，走到僻静处，把那条编辑好的短信删除了。她喃喃地说，等他好了再说吧。

等他出院了，又要术后调养，她每天无微不至地照顾他。终于闲下来，想好跟他说分手，传来他单位经营不善面临倒闭的消息，他下岗了。他每天为找工作而忙碌奔波，后来在一个送水公司找到事，每天踩着单车满城跑，烈日晒，暴雨淋，人累得脱了骨似的，每天回家头靠枕头就睡死了。她看着心疼，这时候说什么也不能跟他提出分手，他最需要她。

终于，经过努力他自己开了家送水公司，雇了几个人，自己不需要那么辛苦了。但是当老板也不见得轻松，业务多应酬多，没个人在身边照顾和支持怎么行呢？何况公司才刚刚成立。分手的事等他的事业稳定了再说吧。

显然，她一直在等，一直没机会跟他说分手。后来，她就老了，他也退休了。那天，他们去公园散步，她挽着他的手，忽然看着他说，你相信吗？之前我想过要离开你，只是一直没机会跟你说。她就把一次一次想跟他说分手后来又没跟他说的事告诉他。

他听后说，其实，我也曾想过离开你。那天，我准备向你提出分手，却突然病倒了。看你为我端药送水忙碌焦急的样子，我心里想，还是等自己康复后再说吧。好了以后，我写了一封信，那天下班后，我正准备把信交给你，你递给我一张纸条，说你怀孕了。我就要做父亲了，但那天我心里并没预料中的惊喜。我又想，如果我这时候跟你提出分手，那将是一件多么残酷的事啊！于是，我跑进卫生间偷偷地把信撕了，扔进马桶用水冲走。我想，再怎么着，也要等孩子出生后。

孩子顺利来到了世上。看你每天为孩子操心，我心里想，还是不能跟你分手啊，到时候谁给孩子喂奶换洗尿布呢？还是等孩子长大了再说吧。孩子大些了，我却突然下岗，家里顿时陷入困境，这时候更不能跟你分手，因为，我想到一旦跟你分手，再也找不到女人肯为我洗衣做饭照顾孩子了，因为那时我一无所有。后来我的事业有了起色，开了公司，赚了钱，买了房子和车，我想，这时候说什么也不能跟你分手了，因为，我清楚，一旦跟你分手，就得分一半财产给你，那我不就亏大了吗？

她瞪了他一眼，说，你太自私了！他说，是，我就是这么自私。她说，那后来呢？他说，后来，我的心就冷了，觉得这么多年都过来了，还是算了吧。她笑笑说，如今孩子大了，你也退休了，我们就分手吧。他说，现在孩子大了，我也退休了，我也绝不让你离开，因为我想，剩下的日子，就由我来照顾你。

# 健身卡

○姜铁军

张萍经朋友介绍，来到吉美健身俱乐部。

服务员热情地把她带到健身大厅，对她说："张小姐，你今天既然来了，就上来体验体验吧。""体验一次多少钱啊?"张萍问。服务员说："到我们这里来做健身体验是免费的。"张萍放心了，选了一架跑步机，到上面做跑步运动。

半个小时后，张萍大汗淋漓地从跑步机上下来，口渴得要命。

服务员给她递过来一瓶矿泉水，也是免费供应的。张萍对健身俱乐部充满了好感。这时，服务员又说："旁边有体重秤，你称一下体重看看效果怎么样。"张萍在服务员的引导下，到体重秤上一称，比锻炼前体重减少了2斤，效果真的不错啊！服务员又说："张小姐，我们俱乐部刚刚推出健身优惠卡，你不办一张吗?"张萍问："都有什么优惠?"服务员说："这张卡可以使用一年，一共可以使用130次，打五折。你要常来的话，还是用健身卡合适。"张萍就和服务员到了俱乐部的财务中心，拿过会计递来的计算器算了一遍，确实是比来一次买一次票合适。她没有犹豫，立刻办了一张健身卡。

自从办了这张健身卡后，张萍的生活就发生了变化。

原来是业余有时间，她才想着到健身俱乐部来做健身运动，没有时间就不勉强来。现在不一样了，她总想着一年做130次健身运动的事儿，达不到这些次数不就吃亏了吗？想办法也得抽出时间到俱乐部做健身运动。

原来晚上加班，十点以后，一定会回家睡觉，养足精神第二天好上班。现在不成了，惦记着到健身俱乐部健身。白天工作，晚上加班，再上健身俱乐部健身，回到家已经半夜了。她连连打着哈欠，心里想着：130次，又少了一次。

过去星期天休息，张萍和老公孩子一起到公园玩玩，一起回婆婆家或者自己娘家看看。现在不成了，星期天有点时间，她就对老公说："我没时间陪你和孩子玩！"老公问："你忙什么啊？"张萍说去健身。时间一长，老公怀疑她有外遇。

张萍以前经常和朋友们在一起聚聚，互相交流，互相学习，很有乐趣。现在也不成了。人家一找她，她就说："对不起，没时间啊！"时间长了，朋友也不来找她聚会了。

一年到头，就为了健身紧忙活。

每去健身俱乐部一次，张萍心里就多一次安慰：这办卡的钱没白花，130次又少了一次。

整天为这张健身卡算计，费脑筋；整天为这张健身卡挤时间，忙得团团转。患上了神经性失眠症，还有别的毛病……

将近年底了，张萍总算做了129次。

她长长舒了口气，每次打五折，省一半钱啊！

回到家，她没看到老公和孩子，他们回婆婆家去了。茶几上放着老公留的一张字条："咱们离婚吧！"

犹如晴天霹雳，张萍赶紧给朋友打电话讨教怎么办？电话通了，朋友冷冰冰地说："对不起，没时间啊！"这话怎么这样耳熟啊，半天想起来了，这不是自己常对朋友说的话吗？

张萍心里着急上火，一下晕过去了。

邻居赶紧把她送到医院，娘家和单位都来人了。医生给她检查出不少的毛病。大家纳闷了：她不是总去健身吗？怎么健出一身毛病来了？

需要住院治疗。

给她更换住院服的时候，张萍从口袋里掏出健身卡，悄悄地塞给和自己一个办公室的女同事，小声说：

“你明天到健身俱乐部做健身吧，要不这最后一次就白瞎了……”

# 炫　车

○盐　夫

我曾在4S店做过汽车销售员。

草原上老牧民巴音的越野车就是那时买的。从前草原上沙尘暴多，现在退耕还林、以经济林拉动治沙工程后，生态与植被得到转好，出现了大片沙柳、沙棘林与草场，沙尘暴已不多见了。即便这样，老牧民巴音还是要选择一个阳光更灿烂，风儿像丝绸一样轻柔的好日子，与老伴儿高娃坐上马车一起来到城里。

那一日，天气的确很好，但老牧民巴音的运气一点也不好，进了城就被警察罚了款，内心很窝火。巴音不是心痛罚金，而是对警察的处罚很不服气，一路上嘀咕不休——啥时闯红灯了？红灯在电杆顶上，跳起来还差好几米远呢！有人听到巴音的嘀咕就噗噗笑，巴音就更生气了，啪，甩了一响鞭，马就得得跑开了。巴音与马车到达4S店时，已是后晌的事了。他把马儿系在店旗杆上，从车厢里甩下一只旧麻袋。巴音的马儿不习惯城里生活方式，笼头套子还没卸下，尿液就哗啦啦湿了一片地。保安哈尔巴拉挥着电棍上来了，吼叫着让巴音把马儿牵走，还指着巴音威胁说，若巴音嘴巴再硬上一句，电棍就打马屁股了。草原上牧民都是硬汉子，狼群都不怕，还怕什么电棍，巴音与哈尔巴拉就他一言你一语斗起嘴来了。

我从没见过胡须花白的巴音，但一眼就知道巴音不同于一般的牧民，巴音的麻袋里一定不是地瓜或者收来的旧酒瓶……我出来了，我先给保安哈尔巴拉敬烟，谎称巴音是远房表叔，然后把水泥地面拖洗得干干净净。这样，我就取得了巴音的信任，巴音指指麻袋说，就买你推销的车子了——麻袋里，果然是一袋人民币。老牧民巴音的生意可是个大生意，他一次就买下两辆越野车。巴音买车也不讲究，就是要动力强，前后驱动，适合在草原上开的那种车就行，但有一个附加条件——骑马、打猎、放牧巴音是好把式，种沙柳、沙棘也是能手，但不懂驾驶，他的两个儿子会开车却又都不在草原——4S店得有人把车送到草原上。

巴音的家在草原深处。草原上的落日很迟，到了巴音蒙古包时，天边一丝晚霞也没有了，我与司机忙着要回鄂尔多斯，但好客的巴音与他老伴儿高娃死活不让走，杀了羊，还请来三个好邻居一起喝酒，酒一直喝到月亮西斜。次日太阳升老高了，我们才摇晃着离开巴音的蒙古包。之后，巴音一直没再与我联系。但我还是与巴音通了一次电话，询问一些车况方面的问题。巴音似乎对两辆车相当满意，在电话那一头，一个劲夸说，好着呢，好着呢！

三个月后车辆保养期到了，我又去了一趟草原。

在草原上，远远地，看到有两匹马拉着一辆越野车在慢慢行进。赶到前面一看，牵马的正是老牧民巴音。我停下车与巴音打招呼，出故障了？巴音摇摇头。没故障咋用马拉啊？我又问。巴音不吭声，依然牵马前行。一个看热闹的大孩子笑开了，他说出了巴音的一个秘密。越野车买回来之后，老牧民巴音从没有把车开出去一次，早晨太阳出来时，他会把车从车库里推出来，晚上太阳落山时，他与老伴又会把车推进车库，天天如此，一天不落。就在前半晌儿，从来没发生过的事情发生了，越野车被巴音推着打着火起动了，呼地冲出了车库，在草地上飞驰而去，巴音忙跨上马背，在后面紧紧追赶，手里甩着套马绳，套了好几次也没套中，最后车胎被陷在沙坑里，这才熄火停下来……听到这里，我笑了，巴音也不好意思笑了。

有车为什么不开呢？我问巴音。

巴音没有直接回答问题。在蒙古包里，他一边喝着马奶茶，一边讲述草原上的故事。从前的草原没有现在这样翠绿、富裕，草地沙化，风暴三天两头刮，治沙、恶化、再治沙、再恶化，最多一年沙尘暴就刮了七十多次，死了大批牲畜。就是那一年，很多牧民都离开草原出外谋生了。老牧民巴音不走，他坚定地留下来了，但他的两个儿子却都离开草原了，这一去就是六年多。临走时，父子还吵了一架，两个儿子发誓再也不回草原了。巴音喝一口马奶茶继续说，草原是有灵性的，你对她好，她也会对你好的，草原其实满地都是黄金。他的两个儿子至今没回来，但巴音十二分相信，他们一定会回来的，越来越美丽的大草原还引不回这两只小雏鹰？

蒙古包外，有摩托车的马达声，由远及近。不一会儿工夫，蒙古包里进来了两条汉子——巴音大儿子博日格德与二儿子哈日查盖。

阿爸好！阿妈好！

巴音向门外瞟了一眼破旧的摩托车，回来了？

回来了！

不走了？

不走了！

这么多年你们过得还好吗？

两个蒙古汉子不吭声了。

巴音沉默了一刻，突然又哈哈大笑起来，好了，不提从前的事了，但一定要记住，草原的天，才是雄鹰飞翔的天！

老牧民巴音走出蒙古包。外面的阳光很灿烂，蓝天很开阔。博日格德与哈日查盖各驾驶一辆越野车，载着阿爸巴音与阿妈高娃向着他们牧场深处驶去。巴音要让这两只小雏鹰再看看现在的大草原——他们美丽的家。

# 为了不被梦想纠缠

〇张小失

他在72小时前脱下脏兮兮的工作服，离开餐馆，去一家私立学校进修美术专业。老师看见他的时候，感觉他与一般学生不同，特别是手，太粗糙，不像握画笔的，就淡淡地问了句。他坦然相告，我这手握了三年炒菜勺，之前还在建筑工地搬过两年砖头，再之前还在家乡使过三年锄头。老师有些惊讶，没有进一步提出疑问，倒是旁边的几个同学在偷笑。

课程开始后，他听得非常认真，每次画静物、写生，他都是那么卖力那么专注那么投入。搞艺术的学生原本都有些浪漫性格，嘻嘻哈哈的，唯独他一板一眼，浑身没有一点“艺术味道”。虽然他在同学中年龄最大，可是因为憨厚朴实，常有调皮的家伙跟他捣蛋，取笑他，欺负他。他也不生气，通常就是咧嘴笑笑而已。

半年后的一天，一个家住本市的少年喝酒回来，在教室里发酒疯。他看见了，过去劝。那少年不理睬，居然抓起一只调色盘扣在他头上。他愣在那里，颜料从头发上淌下来，流到脸上、脖子上、衣服上……他听见全教室一片哄笑。忽然，他震怒了：“混账东西！真以为老子好欺负是吗?”说着，他也抓起一只调色盘，狠狠地打在少年脸上，少年应声而倒，额头撞在桌子上，流血了。教室里一片安静。少年默默地爬起来，满脸乱七八糟的颜色，鼻子好像也在流血。教室里仍然一片安静。

“好小子，你等着!”少年说。他再次震怒，一把揪住少年的衣领：

“还敢威胁我！”他甩手一巴掌，打得那少年直踉跄，靠在墙边不敢再说话。他指着那少年：“滚出去！”少年乖乖地出去了。

老师进来的时候，发现情况有异，就询问。没人敢说话。他坐在那里也不说话。老师点名问他怎么回事，他就把刚才的事简单陈述。老师皱皱眉，便开始讲课。

快下课的时候，挨揍的少年回来了，身边跟着个汉子。“砰”的一声，少年踹开教室门，吓了老师和学生们一大跳。

“某某某！出来！”少年指着他怒吼。他在座位上轻蔑地瞥少年一眼，纹丝不动。

“爸，就是他！”少年指着他说。那个父亲满脸怒气，杀机暗伏，但口气却轻松：“你，出来一下。”他依然不动。

老师挡在教室门口，劝解，却没有人在乎他。

少年大骂：“你这个乡巴佬儿！本是个扛锄头的、搬砖头的、炒菜的，在这里坐着，人模狗样——给我滚出来！”

他站起身，手上拎着个凳子，边向门口走边说：“你不要再侮辱我，你和你爹都不是我的对手，我并不想打架，但是如果躲不过，我也不怕！”

他指着少年的父亲：“你生了这么个劣种，还好意思跟他到学校来丢脸！”

他猛地举起凳子，逼近门口……所有的人都倒吸一口凉气，但是，他又一转身，走上讲台：“告诉大家，也许我真的不配学画画，但是，我小时候的确有个梦想，就是当画家。长大后，我没条件念书，只好在家干农活儿。为了多挣钱，又到城里打工，搬砖头、做厨师。其实按我这年龄，在村子里早该结婚了，可我宁愿得罪父母，也要把攒下的钱拿来学习画画。我知道我失败的可能性占百分之九十九，但我还是要学到底——就是为了使自己死了这条心，否则，我会被当画家的梦想纠缠一辈子！”

少年愕然，父亲赧然，老师和同学们默然……

# 阿 漠

○朱 宏

阿漠，温州人，温州商人，温州小商人。

阿漠推销商品的时候总喜欢赌咒，似乎只有这样才能说明他的东西如何如何的好价格如何如何的低。他的头发总被摩丝固定成一个三七开的硬壳，除此之外，给人深刻印象的就是那张会赌咒的嘴。阿漠总是用夹生的普通话说，这笔生意我要是赚钱就是个兔孙。或者，他说，这东西要是不好用我是你儿子。于是和他谈生意的人就笑了，人笑的时候气氛就融洽了，气氛融洽了生意就快成交了。阿漠就是这样谈生意。后来我才知道，阿漠之所以这样恶毒地赌咒，是缘于他词语的贫乏，小学文化程度，使他无法用更专业的语言介绍他所推销的商品。

我是在厂团委任宣传干事的时候结识阿漠的，和阿漠做了他来到这个城市后的第一单生意，买了一套财务报表账簿，区区几块钱而已。阿漠却将这单生意看得很重，他说这单生意给他树立了信心。因为这单生意我们就成了朋友，或者说阿漠主动地把我当做了朋友，阿漠每次来我的城市，总会带着海产品来看我，其价值早就超过当初那单生意好几倍了。阿漠说这些都与生意无关。

还是在我当干事的时候，有一天阿漠给我打电话，很着急的样子。到了阿漠所住的招待所，阿漠说，快快，帮我写张发票。我说你自己怎么不写呢？阿漠没去读我脸上的疑惑，倒是先把自己笑得前仰后合。笑完了，阿漠告诉我，有一次客户定做了一批领带夹，他开发票的时候写成了“领代家”，拿到人家公司，整个财务科都笑翻了。阿漠说他简直想溜走，钱都不想要了。字本来就难看得要死，三个字又写错了两个，丢人哪。阿漠显得很无奈。

还记得阿漠说过他送我海产品和生意无关吧？当初确实无关，但是阿漠与我的交往却意外地产生了中长期感情投资的积极成果。我从厂团委出来后调到了销售公司，负责产品的宣传推广。公司要定做一批促销礼品，阿漠就闻着味儿从千里之外的温州赶过来了。透过办公间的玻璃窗，我看见阿漠到处打听谁负责促销礼品项目，我故意等着他来敲门。

阿漠敲开我的门，发现部长台后面坐的人是我，立即兴奋了起来。阿漠说，是老天爷要帮助我啊。我拿食指放在唇边，示意他压低声音，然后悄声告诉他我会帮他，但不能让公司的人知道我们是老熟人，另外，我只要价廉物美的东西。阿漠说，我有数，我要是给你烂东西就是个兔孙。我说阿漠你说话的档次也该提升提升了。阿漠不好意思地笑了。

阿漠提供的货品价格确实很便宜，我们很快就订了一批货。这成为阿漠生意上的一个新台阶。阿漠开始发了。

阿漠不再满意招待所的脏乱差，那天阿漠约我见面，我发现他已经住上了我们当地最好的宾馆。阿漠把他的老乡介绍给我，称蔡老板才是真正的大老板。我说，你也会做大的。

有那么五六年时间，是我们公司红火的年代。阿漠泥鳅似的周旋于上下层领导之间，与一帮人混得跟哥们儿一样。生意做得顺风顺水，家里的楼都盖了起来。我却在这期间跳槽了。

因为到了外地工作，我一度与阿漠断了联系。有一天我突然接到一个号码陌生的电话，电话里却是熟悉的声音。阿漠又尾随而来了。多年没见，自然酒多话稠。不知怎的，我们聊到了蔡老板，阿漠咂咂嘴，羡慕地说，老蔡有文化，有技术，现在在你们那里开工厂了。接着阿漠来了一番精彩的阐述，阿漠说，知识对于经营者来说真是太重要了，一个企业只有引入了先进的经营理念，才能获得长足的发展。我惊异于阿漠嘴里竟能吐出这样的话来。

我这里没有什么生意可做，阿漠走了。阿漠说来叙叙旧也不算白跑一趟。阿漠走了，一去无影无踪。

过了大约两年，我辞职回到了家。阿漠像土里长出来似的出现在我面前。阿漠的脸上架起了金丝边眼镜，斯文了许多。我说别是平光镜吧。阿漠不去回答我的质疑，他无可奈何地摇摇头说，我看书太费劲，把眼睛都看坏了。阿漠告诉我他参加了一个专门招收大小老板的 MBA 短训班，正儿八经地学起了经营管理。

阿漠得意地向我卖弄说，你知道我跟谁是同学吗？

# 会 计

○小 牛

我的老婆是会计，一个把成本收益分析融到了骨头里的会计。比如在超市，如果听她口中念念有词，右手在左手手心划拉什么，那就一定是在比较不同品牌的牙膏或饼干的每克单价是多少，以确保获得最高的性价比。再比如网上订书，本来已经打折省了钱，可她还要五块钱的送货费尽量地分摊，不是凑足好几本一起订，就是征集同事一起订。用她的话说，是要让每分血汗钱都花得其所。

时间就是金钱，老婆对金钱的计算也适用于时间的计算，在工作上生活上都力求在一定的时间里做尽可能多的事。用她的话说，人的生命有限，要让每一分钟都花得其所。比如，每回兜马路，她总是先算好路线，从徐家汇到淮海路到南京路，一直要逛到关门的最后一刻，在“亲爱的顾客，本店今天的营业时间即将结束，请您抓紧时间选购商品，欢迎下次再来”的柔和声音里步出店堂才心满意足。

又比如那回看上海国际青年钢琴赛，比赛章程规定，选手上台，剧场落锁，迟到者只能在门外候到下一位选手上场的间歇才能进入。早上我关照老婆，下了班老老实实去剧院，不许再硬挤时间做别的事儿。老婆爽快答应。下了班，在地铁上就接到老婆的电话，很意外。这么乖，到了？谁知她在那头说：“老公，时间还早，浪费可惜，我现在在美容院，做完脸就来。”真是旧习难改！不过呢，老婆做脸在恒隆广场，叫部车，3 分钟就到剧场了。哪知我在大堂等到开演前 5 分钟还不见老婆的影子，发去的短信她也不回，拨了手机，里面传来老婆气喘吁吁的声音："老公，我拦不到车，正在奔过来呢。"开场前 30 秒，终于看到了一个飞奔过来的身影——老婆踩着高跟鞋，冒着细雨，狂奔五个路口、一公里多的路，终于赶在关门落锁之前奔进了剧场。

今年元宵节，和老婆去安福路看品特的名剧《情人》。19 点开场，吃完晚饭足 18 点一刻，我说保险点儿，坐地铁到静安寺下来走过去吧。可老婆又有了建议：时间还早，先到旁边的梅龙镇和中信泰富逛一圈，话剧 19 点开场，我们可以到 18 点半的时候打车过去。有没有搞错？一刻钟时间在梅龙镇和中信泰富小跑一圈还差不多，哪来得及逛啊！当我们一刻钟后走出中信泰富，发现街上出租车少之又少，空车更是没了影子，大概司机大哥都回家吃元宵去了。没办法，我们只好往安福路疾走。奔到话剧艺术中心门口时，已经 19 点半了，好戏老早开场，我们只好在后排角落坐下。正看得起劲儿，喏，20 点，剧终！好了，两张票 200 块看一小时，平均每分钟三块三毛三分三，由于我们迟到了半小时，变成 200 块看 30 分钟，也即每分钟支付了六块六毛六分六，老婆痛苦地作出了差异分析。

在一般事情上要算，在生育大事上老婆更是要算的。在综合考虑了事业、生活、年龄等方方面面的因素后，老婆在七月份如愿怀孕，预产期是明年三月份。本来这也是精心计算后的最优安排，可是那段时间听说，按照金木水火土和十二生肖的排序，今年的小孩是"金猴"，明年的小孩是"木鸡"，我们的精心计算里还是漏了一条！不过老婆掐指一算，"木鸡"固然不雅，好歹强过于后年的"水狗"，还行。

# 再也不开车了

○王小柔

我不开车有一段时间了，可朋友忽然大早晨出现在我面前，说去北京有急事必须走。朋友那么多年了，就算把车扣了，也得把她送过去啊。天津还好说，一下高速我就开始嘀咕。只要我一踩刹车，朋友就开始急眼，在那儿咂嘴，弄得我很紧张。终于，她说话了："你怎么不安个卫星导航系统？"我心说，我这车又不发射导弹，平时也就接送童男童女用，导什么航啊。但我没说话，出声就属于抬扛了，人家亲戚病着，时间就是生命。豁出去了！我的破捷达眨巴着黄眼睛一路战战兢兢上桥下桥，朋友问路的长途电话打了不知道多少，在夜幕来临之前终于把她送到了地方，那么冷的天，弄我一后背汗。

到是到了，可是回怎么回呢？去的时候我就告诉她，注意看马路边的参照物，她呢，打电话发信息，好不容易把眼睛从手机屏幕里拔出来，还分析上人家迎面大楼的风水了，还跟我拧，说什么："不用都记住，关键几个记住就行。"回去时就蒙了，那些"关键"都离老远，朋友跟熊瞎子似的，就记住了最后一个参照物，越开心里越没底，而且白天能看见的建筑物，到晚上没亮起来，看哪儿哪儿陌生。

我说把车停下来问问吧，她说，慢点开，我打电话问问。拨号的时候，我们就过了下主路的出口，她这电话打个没完，我也不敢随便停车，在二环路上跟着别的车转圈。突然，她发话了："停车，赶紧调头！"——

她以为是她们小区门口呢。这里全是往前的路。我把眨巴着眼睛的车停在紧急停车道上。她去问路了。

她首选的是公交车站。先让过一溜一溜不减速的自行车，然后发力猛跑。车站一点不人性化，是半封闭的，她在站牌后面，面对的都是后背。朋友举着拳头砸塑料挡板，好不容易有人回头，她还没开口呢，公交车来了，人跟变魔术似的，全没了。朋友等堵车的时候有出租停下就敲敲人家玻璃，笑容可掬地问路，一会儿，见她用自己小皮鞋踢了车轮子一脚就跑回来了。她怒气冲冲说："我问他怎么调头过马路，孙子告我打车!"

第二阶段她取暖，我去问路。我首选一位站路边的老太太，估计本地人，老人应该热心。大娘愣愣地看着我："哦，你要过马路啊。不走桥上就走桥下。"嘿，我头发都竖起来了，这不成脑筋急转弯了吗？前面就一个桥，哪有出口啊。我又奔另一对老人，人家真热情，让我把车先开出来，进胡同就能出去。那胡同口就画着汽车禁行的符号，我说能进吗？大爷一口咬定："能进!"我说这儿不让汽车进啊，他说："没事，没警察，你进去，我给你在后面看着。"天啊，就算有警察罚也会在出口罚，看后面有什么用？我又没偷谁家东西。

在我睁着死羊眼跟大爷矫情胡同问题时，朋友又拦了个清洁工。我奔过去，那师傅真有耐心，讲了五回怎么过桥走，我们越听越迷糊，师傅情急之下在我车盖子上画了个王八，然后说："你们看见现在的桥了吗？三个爪，你们要找的是五个爪的桥，俗称王八桥，你们从那个桥绕回来……"他正说着，一个人扒拉我："你们去哪儿啊，我看你们在这儿半天了。"我说了目的地，这位客官说："我也要去那儿，省得打车了，你们顺路把我放下就行，我带你们调头。"活雷锋下车后，我跟朋友在车里发誓，以后再也不开车了，被"调戏"够了。

# 咬你一口

〇旸　子

中秋节，一个湖南民工满心欢喜地来到车站，来接探亲的妻儿。自离开家乡到广州一个建筑工地打工，两年间他没有回过乡下的家，两年间这是他的妻儿第一次来广州探亲。一家三口终于在广州火车站见面了，不由得激动万分。尤其是六岁的儿子，看着在城里生活了两年的父亲，心里满是崇拜和景仰，目光一刻也不肯从父亲身上移开。

一家三口上了一部开往番禺的大巴，男人打工的工地就在那里。可是女人随身带来的东西实在太多了，有被褥，有锅碗瓢盆。跟丈夫分别两年，她和孩子吃尽了苦，她想这次来了，就无论如何不走了，一家人再苦再难也要守在一起，因此把所有的家当都带来了。男孩手里还提着一只笼子，笼子里装着一只出生不久的雪白的小兔。

可是他们刚刚把东西弄上车，就遭到司机的斥骂："带这么多东西，让中途的旅客怎么上车？你们以为这是乡下的运货车吗？补三张票吧！"三张票就是30元，而这些破破烂烂的家当一共也值不了几个钱。见做父亲的犹豫，司机不耐烦了："补不补？不补就下车！"

世界上没有一个男人愿意当着妻儿的面这样被人家责骂，尤其是司机眼神里的轻蔑和奚落让他无地自容。这是一个有着优越感的城里人对民工特有的轻蔑眼神，做父亲的在这三年里承受过很多这样的眼神，此时此刻，他不想让这样的眼神也落在他的妻儿身上。他开始往身上摸，摸了半天，只摸出 20 元来。男人的脸上急出了一层细细的汗珠儿。

司机越发不耐烦，脸上甚至有了冷笑："这些民工，让他们拿钱比割肉还难受。"他不想再等，不想再看这个男人"演戏"了，他从座位上站起来，动手往车下扔行李……

男孩一直蹲在那里，守着放在行李上的小白兔，大人的争吵让他惊慌失措。突然，司机拎起了装着小白兔的笼子，笼子猛烈地晃荡起来，男孩清楚地看到，小白兔的眼里满是大难临头的惊恐……

男孩"嗷"的一声扑上去，准确地咬住了司机的手腕。这是在乡下跟野孩子们打架时练出来的绝技，现在派上了用场。只不过他下口轻了很多，毕竟这是在城里，初踏上城市的乡下孩子心中充满了畏惧。

司机突遭袭击，不由得松了手。

男孩从地上拾起死里逃生的兔子，霎时间泪流满面。两年前父亲离家去城里打工时，把两只只有一个月大的兔子交给了儿子，叮嘱他好好养大它们。父亲走了，男孩每天给兔子割草、喂水，一天天把兔子养大了。前不久，母兔产下了一窝小兔，男孩坚持要带一只来广州，他要让父亲看看，他把兔子养得很好；他要让父亲知道，这两年他每天都在思念父亲！

可是，他万没想到，他一直向往的城市竟如此粗暴。伤心和恐惧让他的眼泪流得更急更快了。满车的乘客一直沉默地坐在那里，看着发生在眼前的这一幕，男孩的眼泪终于让他们坐不住了。

一个老人从座位上站起来，对那个尴尬而又难过的父亲说："我也去番禺，身上没带什么行李，这个大包算我的，你少补一张票吧。"

没等那个父亲反应过来，一个老妇人也从座位上站起来，抱过了一只大瓦罐："这只瓦罐是用来腌辣椒的吧？我很喜欢它的外形，把它送给我吧。"她对着惊慌的女人挤了挤眼睛，悄悄地说："你只送给我一会儿就行，下车后我就还给你。"

一位少妇把男孩拉过来，抱上自己的膝头："这孩子长得虎头虎脑的，好可爱啊！借给我做儿子吧！”满车的人轰的一声笑开了。

那个老人拍拍司机的肩说：“东西都挪走了，不会影响到后面的乘客了，赶紧开车吧！”的确，地上那堆小山似的东西都已经被车上的乘客抱到自己的怀里或塞到座位下，车厢通道又恢复通畅了。

司机看了看车厢里的人，经过这一场风波，人们那冷漠的表情不见了，几乎每个人的脸上都挂着帮助过别人后的笑意和满足。他又低头查看刚被咬过的手腕，上面有两排浅浅的牙印，没事儿，咬得不重。他嘀咕了一句：“看不出来，小东西倒挺厉害的！”发动车子时，司机脸上也有了笑意，刚才男孩扑上来咬那一口，让他回忆起自己那已经很遥远的顽皮而又莽撞的童年了。

满车的笑容抚平了男孩的惊恐和伤痛，他在少妇的怀里睡着了。

# 张玛丽

〇兴　华

其实，张玛丽大名不叫张玛丽——白领嘛，总会有个英文名字的。CBD 里做着一份外表光鲜、冷暖自知的工作，她也还算满足。站在茶水间的大玻璃窗前，看天桥上的一对情侣在吵架，张玛丽听不清楚他们在说些什么，却在心里编造着那些对话的内容，乐此不疲。女的跑开了，男的去追，慢慢脱离了视线，张玛丽的导演加编剧的职务也就自动瓦解了。她转身放咖啡杯的时候，忽然冒出一个念头：自己好久没和人吵架了，好想找个人吵吵架。

张玛丽是个低调平和的人，依旧会有男同事对她说些模棱两可的话，约她去郊游、看电影之类的。她知道，男同事的夸奖是香水，只能闻，不能尝。张玛丽也会在周末的下午躺在沙发上看杂志时，对自己说，其实一个人挺好的。有时，她甚至会说出声来。现在"挺好"确实不能算是什么褒义词了，她也知道。

张玛丽有时候也会想刺激一把，和闺蜜约好周末去酒吧，她也会在里面换上黑色的内衣。可是，张玛丽终归是个保守的人，她知道如果爱情是饭，她不愿意饥一顿饱一顿的。就像大多数人会遇到的情况一样，不知道怎么的，张玛丽这个说起来还不错的"畅销品"，就走上了相亲的路。不那么物质，也不那么理想；没太多要求，可也有些讲究。大多数的相亲，都像看张飞表演昆曲或者朗诵《声声慢》一样，完全不是那么一回事。

老妈给她介绍的“金主”，第一次见面就带她去吃辽参，不停地重复：“我要的女人不用出去工作的，在家待着就行，做饭都不用。”张玛丽听得盆骨吱吱作响，觉得自己就是个生育机器。

大学同学给她介绍的活泼可爱的音乐青年，边对她秀自己腰上文的五线谱，边栩栩如生地讲在草原音乐节上与新结识的姑娘一起看着星星多么浪漫。张玛丽不用问他年龄，已经觉得自己“嗖”一下就老了，不敢想。

可是，无论如何，张玛丽还是没办法拒绝那些相亲的邀请，并且觉得别人介绍的时候越来越注意对她的措辞，仿佛是对一个弱者进行施舍的时候还要注意她的尊严，尽量地小心谨慎。自己真的就老成这个样子了吗？张玛丽对着镜子抹眼霜的时候想。

自己买菜，自己做饭，自己刷碗，自己看电视，自己睡觉，自己定闹表，自己提垃圾袋。不都说要相信在不远的一个地方正有一个人在慢慢地慢慢地爱上你吗？可他妈的那个人在哪儿呢?！当然了，张玛丽只在自己心里才说脏话。梨不熟不香，张玛丽吃梨的时候对自己说。张玛丽累了，对自己说，总会好的。她有点怕过年回家了。

# 忧　伤

○王兴菜

蓝朵朵端着一碗红汤面，站在我对面，没心没肺地望着我笑，帅哥，对面有人吗？

蓝朵朵这几天不知怎么了，老找我搭讪。虽说商务楼里只有这家“面爱面”，可桌子不少，蓝朵朵偏偏要跑到我对面坐，还要多此一举地问一句：帅哥，对面有人吗？

我说，蓝朵朵，这是你连续第三天这么问我了。蓝朵朵兴冲冲地坐下，甜甜地对我说，礼貌还是要的嘛！

我低头继续吃我的卤蛋牛肉面。蓝朵朵吃了两口，抬头突兀地问我，马龙，你怎么不跟我说话？我说，这不是在吃面吗？

蓝朵朵有些不高兴，蓝朵朵说，这什么破面，淡死了！蓝朵朵往面碗里狠倒了一些醋，说，马龙，我猜你是巨蟹座的。

我一惊，嗨，蓝朵朵，厉害啊，你怎么猜出来的？

蓝朵朵说，马龙，我可注意你好久啦。你有精辟的洞察力，强烈的自尊心，不喜欢主动找女孩搭讪，但能体贴宽容你身边的所有女孩，不过你永远不会主动向女孩表白。以上种种劣迹，充分说明你马龙是个巨蟹座的男人。

我冲蓝朵朵伸出大拇指，厉害！

周五，眼看到了下班时间，蓝朵朵的 QQ 头像兴高采烈地晃起来：帅哥，晚上一起吃饭？

我犹豫了一下。我晚上约了几个朋友喝酒打牌的。老半天，还是回了她：对不起，我晚上约了人。蓝朵朵头像又闪：八卦一下，男的女的？我回：男的。蓝朵朵头像就立在那儿不动了。

一下班，我正准备去给蓝朵朵解释一下。谁知，蓝朵朵拎着包站起来就冲到玻璃门前，打了卡，绝尘而去。

整个周末我都过得不太舒服。我老想起蓝朵朵气呼呼地抓包冲出办公室的情景。我暗骂自己，你小子怎么就这么笨呢？跟朋友喝酒，啥时候不行啊？我越想越内疚，后来，我横下一条心，决定周一请蓝朵朵吃大餐。

周一，我高高兴兴去上班，可到了单位，蓝朵朵居然出差了。我就这么怏怏不乐地过了一天，两天，三天，四天。

到了周五，我蔫着脑袋去上班，蓝朵朵回来了。蓝朵朵从福州带回好多小礼物，我就想，蓝朵朵会带些什么给我呢？一个人，两个人……发完了，也没发给我。我莫名地有些悲伤。一整天，我也没过去找蓝朵朵。

快下班的时候，蓝朵朵的头像闪了：马龙，原来爱情这么忧伤。我回：你这话什么意思？蓝朵朵头像一闪：看看你的第三个抽屉。

我赶紧拉开抽屉，居然一大袋橄榄，还有个奇怪的名字：橄榄泪。我正诧异着，蓝朵朵又拎着包，打了卡，冲了出去。我拆开来，吃了一颗，眼泪马上就流出来了，原来是涂满了芥末的橄榄。我明白了蓝朵朵的意思，原来她喜欢我。我简直恨死巨蟹座了，就这么后知后觉。

我用整个周末的时间，写了一封长长的信，发到蓝朵朵的邮箱里。发过去之后，我开始坐立不安，隔两三分钟就打开一次邮箱，没有回信。

周一，我迫不及待赶去单位，可进了办公室，瞧见蓝朵朵跟没事一样，坐在自己电脑前敲着字。首先过来的是许小苒，她拍拍我的肩，行啊，马龙，我的朵朵——真够行的。然后是张静、孟优雅、冯史楠……每个人都笑着对我说，行啊，马龙，我的朵朵——嘿，真够肉麻的。

许小苒在QQ上骂我：马龙，你真那么容易被攻克啊？朵朵跟我们打赌，一个月搞定你，二十天不到，你就束手就擒，老大，十顿必胜客啊！

我明白了，我被蓝朵朵那厮给涮了。

我有多悲伤。我关掉QQ！关掉手机！还是觉得难受，我向头儿请了假，像蓝朵朵一样打卡，冲出办公室，大白天回家裹着被子埋头大睡。

晚上，我打开手机，一堆短信，全是蓝朵朵发的：马龙，对不起，没想到玩笑开这么大。我回了她一条：蓝朵朵，我真没想到，原来爱情这么忧伤。

第二天，我勉强撑着去上班。一上午我坐在电脑前，眼睛木然地看着屏幕。办公室的人知道玩笑开大了，没人敢过来找我说话。冷清得不成样子。

就这样到了中午。没办法，人总要活着。我强打精神，继续到“面爱面”去吃我的卤蛋牛肉面。

吃到一半，有个熟悉的声音在我耳边响起，帅哥，对面有人吗？

我抬头，见蓝朵朵手里端着一碗红汤面，怯生生地站在我面前。她眼圈里转着泪看着我，一字一顿地说，马龙，原来爱情真的这么忧伤。

# 买房倒计时

○犁　航

亢牛与闵兰终于下定决心去安康市买房。国庆长假，节庆折扣，房价相对低一点，这一低，可能省下一两万。

乘火车到安康，出站，面对车水马龙的街道，亢牛说，坐什么车呢？闵兰说，以前咋的，现在还咋的。虽然进入买房倒计时，不是还没买吗，钱不还在我们兜里吗？

亢牛和闵兰有个消费原则，到安康，坐好一点的车，进高档一点的酒店，买时髦一点的衣服，住上档次一点的宾馆。

车上，两口子和出租车司机聊房价，出租车司机说，我是房奴，现在上有老，下有小，我天天祈祷菩萨保佑一家人身体健康，特别是老人。我整日都提心吊胆，我他妈现在连感冒都得不起！

亢牛和闵兰深表怀疑地说，是吗？至于吗？

进了瀛湖酒店，找个雅间，闵兰说，趁还没买房，先挥霍一下下。于是两人一阵狂点。结账花了三百多，两人很高兴——生活水平还是维持着原状的！

长假，安康这座“中国十大宜居中小城市”，也是人满为患，好几个上档次的地方都住满了。在找宾馆的路上，闵兰和亢牛进了几次商场，各自买了一套冬装，花了一千多。

两口子最后来到汉江宾馆，吧台小姐说就剩一个套房，每晚八百八十八元。亢牛有些犹豫，闵兰说，亢牛同志，买房了，五年之内恐怕舍不得这么奢侈了。

亢牛爽快地掏卡给吧台小姐，小姐熟练地刷了一下，输入要转账的数字，把卡递给亢牛。亢牛刚输入密码确认，电话响了。

亢牛一边听电话，一边将脸上的笑容慢慢绽放，最后跳起来，说，好的，马上来。边出门边转身对吧台小姐说，先把东西寄存在这里。话没说完，就拉着闵兰一溜烟出了宾馆大门。

赶到汉江国际售楼部，朋友德福两口子已经笑容可掬地等在门口，说，这地段，这价位，折扣和优惠下来还省了近两万，不管你们买不买，我们已把首付付了。

亢牛和闵兰对整座城市房产现状非常清楚，过了这个村就没有这个店。于是，咬牙把事情定下来。其实卡里钱根本不够，差几万，要不是哥哥和妹妹及时把款打过来，房子就是别人的了。

出了售楼大厅，闵兰说，卡里还有多少？亢牛说，估计只有几百块了。

天，这以后的日子怎么过？每月差不多要一个人的工资还房贷，一个人的工资维持一家人的开销，逢年过节还要孝敬老人，还要还借人家的几万元首付呢。没买房不知道什么叫紧张，现在首付款打了，细细一算，两口子出了一身毛毛汗。亢牛说，那司机说得对！闵兰说，到底是过来人！

之前的一切浪漫、挥霍，现在看来都是傻帽的表现，买房前怎么就像花别人的钱一样毫无感觉呢？买房后花一分一毫都有痛感。

亢牛试着说，房买了，就没事干了，怎么突然想家了?！闵兰即刻随声附和，说，是啊，反正没什么事了，不如回家吧，去把汉江宾馆的房间退了，还能省几百。这可是第一次夫唱妇随，以前闵兰不唱反调就算是皇恩浩荡了。

吧台小姐说，现在退房要按钟点房计时。闵兰想质问什么，亢牛连忙挡住，说，要扣掉多少？小姐说，每小时一百块，已经过了两小时；如果晚半小时来，过了下午六点，就扣全天的费用了。

出门打车，亢牛用目光征询闵兰的意思。闵兰不理会，自顾抻着脖子观望。终于，闵兰的眼神稳住了，一溜烟跑过去；亢牛提着两包衣服紧紧跟上。等闵兰停下来，亢牛放下东西，抬起头，看见一块公交站牌。

依然是乘火车。回到家，闵兰把新衣服装进衣柜。亢牛爬上梯子从柜子顶上端下一个大纸箱。里面全是穿旧的衣服，本来准备送人或者捐出去的。

闵兰问，舍不得扔了？亢牛说，这些衣服，足够再穿五年的，嘿嘿！

闵兰也没闲着，从废纸篓里取出来一团东西——她早上扔掉的一双袜子，没破，但有断纱。亢牛摇摇头说，老婆，用得着省成这样？闵兰说，还能对付着穿两次嘛，天长日久说不定就能省下一块砖。你也抓紧写文章啊，一篇文章一块砖。亢牛眼前出现一摞摞打印的文稿，一摞摞建房的砖头，纷纷扬扬如雪花般飘飞的稿费单，他出神地说，额滴神啊！

两人累瘫了，倒在床上，各自望着天花板。过了一会儿，亢牛说，终于买房了。沉默了一会儿，闵兰也说，终于，买房了！

# 儿子，儿子

○刘吾福

我曾经为有一个聪明的儿子感到骄傲和自豪。我常常在朋友面前拍着我儿子的后脑勺说，这是我儿子！

儿子在幼儿园时就能背诵“锄禾日当午”，就能解答“树上骑7个猴”之类的脑筋急转弯，就能唱“南泥湾好地方”。

儿子15岁时参加中考，仅差1.5分没有考上市里的重点高中。儿子说，爸，我没考上重点高中其实是你没面子，因为我是你儿子。瞧我儿子这话！为此，我和爱人东挪西借凑足了一万元“超招”费，儿子终于进了市里的重点高中。

我的面子没有维持多久，读完高一，儿子的成绩已是每况愈下。儿子总是垂着头，满脸疲惫，像霜打的茄子。直到有一天，我一个亲戚的儿子到家里来，亲戚的儿子大学毕业一直没找到工作，亲戚的儿子说，早知如此，那大学还不如不读呢。儿子听了这话很兴奋，就像注射了一针强心剂。

儿子读高二的时候，有一天我接到儿子班主任的电话，问儿子为什么没去上课。我有点儿奇怪了，儿子明明吃过早饭上学去了，怎么会没有上课呢？

我突然想起了从家里到学校的街道边那几家网吧，心中一怔。果然不出所料，我把儿子从一个网吧里揪了出来，儿子那时正倾心于一个叫“星际争霸”的游戏，儿子熟练地操纵着键盘，游戏里那个叫做“神族”的魔鬼被我儿子“打”得拼命地惨叫：“救命啊——救命啊——”我揪着儿子的耳朵说，我得先救救你的命才是！

儿子被我揪回家，我怒火中烧，把儿子摔在沙发里，像摔一只塞了旧棉絮的枕头。儿子充血的眼睛看着我。我像审犯人一样审问儿子，你说，你不读书，怎么会有出息？

儿子嘟哝一句，有一个游戏玩家才 13 岁……

我说游戏玩家玩出什么啦？

儿子说，你别孤陋寡闻，人家在网吧里待了整整两个月，足不出户……后来成了网络游戏高手，好多网站老板抢着高薪聘用，月薪 8000 元！

我被儿子噎住了。

有一次，我拿过儿子的数学作业本看，儿子把几道三角函数题都弄得颠三倒四，一塌糊涂，满页作业纸上都是鲜红的叉叉，真是惨不忍睹！

我说，儿子，你爸好歹也是个高级教师，题做不出可以问你爸，解几道函数题，不就是几分钟的事情吗？儿子不吭声。

过了几天，儿子把几道题目摔到我的眼皮底下，儿子斜了我一眼，说，老爸，这几道题麻烦您给解一下，只耽误您那么几分钟！

我拿过题，先浏览了一遍，发现竟然是奥赛题，我使出了浑身解数去解那几道题，时间一分钟一分钟地过去……

儿子架起二郎腿坐在沙发上说，已经一个钟头了。我听着墙上的时钟滴答滴答地嘲笑我。儿子又冒出一句，哎呀，又一个钟头了。我知道，儿子给我下了一个套，这一次我要栽在儿子面前了。我对儿子说，过几天我把答案告诉你吧。儿子昂起了头，一副打了胜仗的样子。随即，儿子进了他的卧室，儿子的卧室里便激荡出发疯般的《东风破》来。

儿子有一段时间没有去上课，但也没有去网吧。儿子现在又迷上了打台球。儿子进门出门都扛着一根古铜色的台球杆，就像士兵扛着一杆枪。

儿子跟他妈说，你知道吗？有个小子叫丁什么晖的，从没读过大学，但他的台球打得神，打出了国界，打过了太平洋，捧回许多奖牌，奖金都几十万呢！儿子跟他妈讲这话时，眼睛分明斜看着我。

我深深地叹了一口气。高考时，儿子合乎情理地没有考上大学。但儿子很快乐，儿子的卧室里永不疲倦地响起他的《东风破》。

我成天阴着脸，爱人则一副泪眼婆娑的样子。儿子却拍着胸脯对他妈说，妈您别着急，说不准儿子比老爸更有出息呢。儿子说完这话，摔门蹦出去了，留下砰的一声沉重的门响，让我的心颤抖了一下。我终于忍耐不住，推开窗子向外面吼了一嗓子，你走吧，走了你就别回来！

儿子真的走了，儿子在他的枕边留下一张字条：老爸老妈，儿子闯世界去了，儿子一定要闯出一片风光来……

我爱人哭了，边哭边抱怨我，说儿子是被我逼走的。

当我们苦苦地煎熬了20天后，终于接到遥远的都市救助站的一个电话，那里收容了我的儿子，接到电话的那一刻，爱人笑了，我却哭了……

# 二哥的礼物

〇李元岁

二嫂捎话让二哥回来一趟，二哥就得回去一趟。其实，即使二嫂不捎话过来，二哥也正准备近几天回去一趟哩；捎话过来呢，二哥今个儿就动身了。

二嫂捎话的内容可归纳为四个字：割麦，学费。不过，捎话人要说得具体一些。捎话人原话是这么说的：你老婆叫你回去一趟哩，麦子都“老腰”了，铁旦开学要学费哩！其实，这两件“火烧眉毛即在眼下”的事，二嫂不捎话，二哥也是哑巴吃饺子——心里有数，惦记着哩！有数归有数，惦记归惦记，然而，当捎话人把所捎的话说完后，二哥还是将粪叉子似的五个指头插在蓬乱的头发里挠了老半天。

二哥挠了老半天头后，就找到了工头儿。工头儿是二嫂的一个用八架算盘磕打上半天才能磕打起来的远方侄儿。按说，应该称二哥为姑父哩。可人家现在是工头儿，二哥是人家手下的一个打工仔。二哥推门进来，工头儿妻侄正跷着二郎腿听手机。待了有十几分钟，等工头儿妻侄盖上手机盖儿后，二哥才嗫嚅着说明了来意。工头儿妻侄抛给二哥一根烟卷后，说：那就先打个领条吧。说着，掏出了笔，又撕下一张纸。好在二哥还上过三年小学，那几个洋码字还能划拉上来。二哥拔开笔帽后问工头儿妻侄打多少。工头儿妻侄琢磨琢磨说：先按三个月的，打上1800吧！二哥在那张纸上歪歪扭扭地写下两行字以及姓名和年月日后，就从工头儿妻侄手里接过一沓五十元面额的票子。工头儿妻侄让二哥数一数。二哥说“甭数了”，就装了起来。

二哥揣了那36张“伍拾圆”离开工头儿妻侄那里回了一趟工棚，工棚里空无一人。二哥拧了一棒烟抽完后，就提了那个老式的绿色帆布提包溜达在街头，朝长途汽车站方向走去。

离开车的时间还有两三个钟头，二哥到附近的理发店理了一个头。

离开车还有两个多钟头反正耗着也是耗着，不如进商店遛一圈，消磨点时间。二哥这么想。

转悠在妇女用品专卖柜前，二哥驻了足。也许是内裤里揣着三十六张“伍拾圆”腰板硬了的缘故，抑或是可怜起了相依为命了二十多年的二嫂的原因，二哥指着货架上那些粉红色的乳罩向售货员小姐问：那个东西多少钱？之所以称乳罩为“那个东西”，是因为二哥确实叫不来“那个东西”的真实姓名。男人买乳罩本来是少见的，像二哥这样的男人买乳罩就更让漂亮的售货员小姐不屑而冷眼相待了。漂亮小姐不耐烦地问：哪一种？大号的还是小号的？二哥说：大号的，粉红色的。因为二哥喜欢粉红这种颜色，也因为二哥知道二嫂胖。二哥又问多少钱一个。漂亮小姐说28。二哥也学会了砍价，说：18块卖不？漂亮小姐说不卖，又说：来哪儿讲价来着！二哥就离开专卖柜，又转悠了一会儿。转悠来转悠去，又转悠到了那位漂亮小姐的柜台前。漂亮小姐大概是认住二哥了，没拿好眼向二哥剜了一下。二哥让这一眼剜得心里很不是滋味儿。要不是漂亮小姐剜这一眼，二哥也就不打算买了，正是被剜了这一眼，二哥才下决心要买下来。心说：你凭甚瞧不起俺庄户人?！于是二哥松开裤带从内裤里抽出一张“伍拾圆”搁在柜台上，硬硬地说：来个粉红色的，大号的！漂亮小姐拿起“伍拾圆”朝灯光照了照，尔后将22元连同那件粉红色的乳罩搁在了柜台上。二哥将乳罩装进帆布包里，22元装进外兜里。22元正好够路费。

# 一把手

○卢　群

“一把手”是碧水蓝天洗浴中心的搓澡工。同许多明星大腕一样，一把手也有很多铁杆粉丝。来碧水蓝天洗澡的客人如果看不到一把手活跃的身影，听不到一把手诙谐的语言，就会觉得很失望。所以连碧水蓝天的经理也不得不承认，一把手是洗浴中心的金字招牌。

一把手学名袁玉石。十多年前，这个名字曾多次出现在广播里和报纸上，是小城妇孺皆知的先进模范。当上搓澡工后，人们渐渐忘了他的学名，取而代之的便是这个颇有意义的绰号“一把手”。

当然，人们称袁玉石“一把手”绝没有轻慢的意思，主要含义还是因为他在他的那个圈子中技艺是最精的，服务是最优的，口碑是最好的，收入是最高的。加之他确实只有一只健全的左手，因此叫他“一把手”倒也名副其实。

一把手原本也有一双灵巧的手。那双手曾为厂里创造过丰厚的利润，也为自己带来过闪亮的光环。

一把手清楚地记得，在一次表彰会上，厂长曾托着他的手很煽情地说，谁说工人的手只有老趼没有灵气？只要心中有党有人民，什么奇迹都能在我们的手上创造出来！

厂长的话让一把手激动了很长时间，如果不是那次意外，一把手的人生将会更加精彩。

那天，一把手正在检修机器，已合上电闸的机床不知怎么转了起来。幸亏一把手反应灵敏，仅仅让机器咬掉了五个指头。

望着鲜血淋淋的手掌，许多工友都流下了眼泪。厂长也痛心疾首地再三表示，一定要严肃查处事故原因。可是不知为什么，当厂长再次出现在病房时，除了叮嘱他好好养伤外，只字不提事故处理的事。

一把手是个识趣的人，知道领导不说自有不说的原因，于是也跟着保持沉默。再后来厂长又同他协商，决定大事化小小事化了。因为当时上级正在进行安全生产检查，如果知道发生了安全事故，不仅厂里的荣誉会受到影响，工人们还要扣除奖金。况且这仅仅是个意外，并不是哪个人恶意报复或是工作失职。如果能以大局为重，厂里会对他负责到底的。

一把手自参加工作以来，一直牢记着“厂兴我荣，厂衰我耻”的厂训。如今见自己的伤竟关联着集体的荣誉和工友们的待遇，心里过意不去，没等厂长把话说完就忙不迭地点了头。厂长也信守承诺，随即安排一把手搞收发，享受一线工人的待遇。

收发室环境好，工作轻松，还不用上夜班，是多少人梦寐以求的岗位。如今这个好事竟落到自己头上，一把手感动之余工作更勤奋了。

后来的情况就有点让一把手始料不及了。随着体制改革和产品转型，一把手先是被调离岗位，紧接着又成了下岗一族。成了下岗工人的一把手每月只拿一百多元薪水。

老婆不乐意了，说老袁你不能就这样坐吃山空，应该讨个说法。你原是厂里的技术骨干，如果不是残疾哪里轮到你下岗？你是因公致残的，再不济也应享受伤残补助！如今两个孩子都已读初中，你老娘又长年生病，家里正是人把用钱的时候，你那点下岗工资哪够开销？

老婆的话不无道理，可是一把手偏偏是个不愿意向组织伸手的人。老婆追急了，他只得拧着脖子说，不就是几个钱吗？多大个事？活人还能让尿憋死！

经过几天的考察和思考，一把手走进了碧水蓝天。

澡客们一般都有固定的搓背人，一把手初来乍到，手又有残疾，自然不被看好。一把手就对澡客们说，要为他们免费服务一周，搓得好就帮着宣传宣传，搓得不好就权当挠了一回痒痒。澡客们见有如此好事，自然跃跃欲试。两个正闲着的搓澡工也饶有兴趣地围了过来。

一把手就用左手和牙齿把毛巾紧紧缠在残缺的右手掌上，很专业地在客人的身上游走起来。什么地方轻搓，什么地方下力，把握得十分准确，也十分到位，只一刻工夫，那污垢就翻着跟头纷纷滚落。一把手随即提来一桶冷热适宜的水，细细地冲去客人身上的污垢，然后帮客人打上香皂，再轻轻地搓揉一遍。一整套动作，熟练自如，行云流水，不仅倾倒了澡客，也让那两个搓背工暗暗吃惊。

之后，一把手又别出心裁，从老中医那里学得一手推拿术，搓完澡后免费为客人疗病解乏。在理疗过程中，一把手会根据澡客的年龄和要求，或推拿，或敲打，或揉捏，或按压，那指法和力度，竟同专业技师不相上下。

不用说，一把手很快在碧水蓝天红了起来。澡客要想得到一把手的服务，非得提前预约，或是早早到场。其间，一把手见另外两个搓澡工常常闲着没事干，心中老大不忍，多次劝说客人找那两个人搓背。澡客却说，这事没商量，我大老远跑来，就是冲着你来的！

转眼间，一把手当搓澡工已有五个年头了。忽一日，一把手郑重宣布，鉴于娃儿们已能自食其力，明日起他将辞去工作，回家颐养天年。第二天，一把手果真不见踪影。

数日后，有人在地理位置偏僻的一个澡堂发现了他。那人不解，问他何以如此。一把手说，当搓澡工的都很不易，我不能只顾自己不管别人。我唯有选择离开，那里的其他搓澡工才有出头之日。

# 第一身份

○龙岳君

我背起行囊，自己去外地找工作。其实父亲完全可以帮我一下的。父亲有个学生在长沙的某局当局长，我想叫父亲去找他的学生给我安排一份体面的工作，没有想到被他拒绝了。

我说：你是我父亲，你不帮我谁帮我？父亲说：孩子，你受过高等教育，做人做事，怎么不先考虑自己的身份？

我说：我的身份是大学生，是你的儿子。难道你帮儿子找工作，会丢你的身份？父亲说：孩子，我是说我们的第一身份。人在社会上有多重身份，父亲、母亲、丈夫、儿女、职业、职位等等，这些都是我们的身份。但是你千万不要忘记我们的第一身份。孩子，原谅我。

父亲说完，拍了一下我的肩膀，走开了。

第一身份？我想了许久也不明白。

不久，我在外地一家酒家应聘当了一名服务生。一天，一个肥头大耳的人和几个随从开一辆奔驰来酒店吃饭。几杯茅台下肚之后，竟对女服务员动手动脚。女服务员很有礼貌地提醒他们要自重。没想到他们哈哈大笑后，更加放肆起来。其中一个人，把女服务员一把拉进怀里，搂抱起来。

女服务员急得喊了起来。

女领班立刻赶了过去，对他们说，作为酒店的客人，你们应该尊重酒店的服务，尊重服务员。那人对更漂亮的领班说：眼红了？眼红了你来，让我抱抱。说完，他们更加肆无忌惮地笑起来。

我当时全看在眼里，气愤地说，先生你不为你的行为感到羞耻吗？他看看我说，你算什么东西？接着又说，你知道我的身份吗？说着，把自己的证件摔在桌面上。

这时候我忽然想到父亲说的第一身份。于是，我从自己的怀里抽出身份证，往桌上一摔，说，这是我的身份证。你看看，在这张身份证上，是没有职位的。我不管你是谁，你和我一样，首先都是一个公民。是公民就有遵纪守法的义务，你明白吗？

他们听了，顿时愣住了，无话可说。

看见这些人被镇住，我终于明白了父亲所说的话。

# 刀

〇崔　立

冬天的夜黑得有些早了。

有点冷。更饿。

少年想都没想，就闯进了一家店。那是一家典当行。典当行里只有一个老头站在柜台前，操着一个算盘，在盘算着什么。

少年的手里拿着一把菜刀。爸妈离婚后，法院把他判给了父亲，可父亲整天忙着赌钱，赌得家里越来越穷。有时还会狠狠地揍上少年一顿，骂少年是扫帚星。家里已经没留下什么东西，该卖的也都卖了，唯一能利用上的，就是这把刀了。

少年重重地将刀拍在了柜台上。声音有些响，老头听到声音，忙抬起了头。

少年狠狠地瞪了老头一眼，刚想说些什么。反而被老头抢着说了，老头很认真地扫了刀一眼，猛地，脸上流露出难以置信的表情，连连点着头说，这刀不错，能值不少钱呢。

少年愣了一愣，不明白这刀，怎么就值钱了？这刀，是少年在抽屉里无意中翻到的。

老头看少年茫然的神情，就笑了，说，孩子，这刀的来历，你爸妈没和你说过吧？

少年摇了摇头，说，没有。

老头就给少年解释说，这刀啊，可是几百年前的神物啊，你看这刀，是不是不见它生锈？还有这刀柄上，是不是刻了一个“李”字？

少年认真看了一下，还真是，这刀发出缕缕寒光，不见任何锈意。少年还看到刀柄上的“李”字。少年就姓李。看来，这刀还真是祖宗传下来的呢。

不自觉地，少年忙拿住这刀，满是警觉地看了老头一眼，说，如果我抵押在你这儿，你能给我什么价钱？

老头想了想，又想了想，就说了一个数字，一个足以让少年心动的数字。

少年重重地点了点头，说，可以，成交吧。

因为有了这笔钱，少年很圆满地度过了那个寒冷的冬天。少年没把卖刀的事告诉父亲，若是让父亲知道了，这钱肯定会成为他的赌资，继而又落入别人的腰包。

因为有了这笔钱，少年并没再有过那种过激的想法。

有时候，少年甚至会想，若是那天，老头没认出那把刀的来历，自己抢了这家典当行。自己现在又会是怎样呢？会不会是坐在高高的牢房内，等待着哪一天的自我救赎呢。

莫名地，少年忽然有些感激起那个老头来了。

若干年后，少年长大了。

那笔钱，几乎支撑了少年整个成长的历程。

少年慢慢地成才了。大学毕业，直至自己开了公司。

没几年，少年就赚了许多的钱。

有了钱后，少年会想到那年冬天的事儿，还有那把祖传的刀。

少年忽然就动了想把刀赎回来的念头。

少年想，凭他现在的财力，想赎回这刀，应该不难。

少年驱车到了那家典当行的门口。

少年没看到那个老头，柜台前站着的，是一位年轻人。

少年说明了自己的来意。少年问年轻人，自己需要支付多少钱，才能赎回那把刀呢。少年想好了，一定要好好和这个年轻人周旋一下，尽量把价格压到最低。少年有钱，但不想花冤枉钱。

年轻人只是微微笑了笑，就把少年往里面带。

进到里屋的一间房，看到屋里坐着一位老人，他已经很老了。少年还看到橱柜打开的一角，放着一把早已锈迹斑斑的刀，那刀的刀柄上，刻着一个大大的“李”字。

少年有些不明白。

年轻人就笑着给少年讲了一个故事。一位老人看到了一个心生邪念的少年。老人想拯救少年，就想了一个办法。把少年手上持有的刀，谎称是宝刀，许以重金买了下来。老人只希望少年能因此走上一条光明正大的路。

那一刻，少年发觉已经控制不住自己的泪水了。

故事讲完了。

老人面色凝重地看着我说，现在明白我做这一切的初衷了吧？

我点了点头。

老人最近专门出资设立了一个救助基金，无条件地救助那些需要救助的人。

老人还有一个身份。

就是本市最大的典当行的老板。

# 寒假工

〇肖大庆

若伦今天开始去凯悦中西餐厅打寒假工。他骑着辆摩托车，口里吹着那首《斯卡布罗市集》曲子，洒下一路欢欣：寒假过后，回到大学校园，我就可以在同学面前露一手了——调一盏鸡尾酒让大家享用，接下来，就等着收获满满两耳朵的赞美吧，哈哈！

按照老板娘的交代，若伦八点半准时到达。

小伦，来啦。老板娘亲热地把若伦唤作小伦，陌生感立马被亲切感所取代。

嗯，来啦，老板娘。小伦看着眼前这头漂亮的棕色秀发答。

以后叫我杨姐。老板娘亲切地说。

嗯，杨姐。答着话的小伦，突然间就有了与杨姐亲如一家人的感觉。

餐厅服务生要做哪些事？小伦问。

杨姐看着小伦，笑盈盈地，沏茶点单传菜，收拾残羹剩汤，最后，抹完桌子拖净地板就OK了。

会教怎样调鸡尾酒吗？

这个不会，有专门的调酒师。

小伦就暗琢磨，只好偷艺了。他就是冲这个而来的。

一番侦察，让小伦感到不妙：无论调酒间还是厨房，都设计成封闭结构，服务生无从入内。如意算盘失算，小伦有点郁闷——这个寒假看来要白干了。

更让他郁闷的是，上班第三天，就遭遇“罚款”。

打烊了。杨姐清点当天货品，发现少了一包烟。“华盛顿”要了一包“芙蓉王”。小伦说。单上咋没记呢？杨姐递过点菜单。小伦接过单子自上而下扫一遍，再扫一遍，忘写了。心就开始忐忑。按店规，这包烟从你工资里扣除。杨姐说时，表情就严肃起来，全然没有了往日的笑意。

白干一天的小伦，憋闷着一肚子的不快下班。想到老板娘这样不留情面，他真想一走了之。想归想，最终还是坚持了下来。之后，小伦再没出现任何差错了。

腊月二十九的上午，杨姐拿着点菜单，笑眯眯地对员工们说，明天除夕，明天后天歇业两日。我们今晚吃年夜饭，每人报一个自己最喜欢吃的菜上来，甭客气啊。说着就依次一个一个问过去。既然杨姐开了口，大家也就不含糊，都往高档菜里点。平日里顿顿看着客人吃喝过瘾，只饱眼福，今天轮到自己一饱口福，当然要点好吃的。小伦点了一盘自己爱吃的英式螃蟹。杨姐笑呵呵地一一记下。

待杨姐走开，小燕向小慧咬起了耳朵：往年都是年初三开始上班，今年咋提前了一天？小慧“是呀”地附和着，今晚问问杨姐吧，看年初二这天有没有加班工资。窃窃私语在耳边咝咝作响，但想到自己是个寒假工，当初讲好工资按每天30元结算，其他反正与自己无关，小伦就没多嘴。

年夜饭，吃得大家欢天喜地。工友们排着队给杨姐敬酒。杨姐也一个一个回敬大家。气氛喜庆得就像一家人。散席时，每个员工还从杨姐手里领到了一袋礼品，是两瓶酒。小伦刚想离开，杨姐叫住他：小伦，你也有。小伦心里涌起一层感动：寒假工也有？杨姐脸若桃花，甜甜说道：有有有，人人都有，见者一份。

没再听到小慧向杨姐问加班工资的事。她是被酒精冲晕了头忘了问呢，还是被杨姐的礼品买通不好意思问了？不得而知。

年初二一大早，来上班的员工们见到杨姐，纷纷向她作揖拜年。小伦也拱起双手不例外。杨姐向每位员工发了一个红包。小伦也不例外得到一个红包。小伦闪到没人处，偷偷拆开红包一数，60元，相当于他两天的工资。他若有所思。

这天的中餐和晚餐，所有包厢客人满满，都是年前预订好包席的。难怪杨姐要大家提前上班呢。领了杨姐红包的员工们，欢欢快快地忙碌了一整天，也没听到谁发出一丝怨言。

杨姐，我想干完今天就不来了，休整一下准备去学校。正月十四这天，小伦对杨姐说。

可不可以再帮我一天，明天是元宵节，客人多。杨姐笑盈盈地征询道。

本来也行，但我要去火车站买票。

火车票我找熟人给你买好送来，可以吗？

那行。

元宵节晚上，送走最后一批客人，员工们围坐在一起，吃完杨姐亲自做的汤圆，下班。

杨姐，怎么多给了60块钱？我数着手里的工资，问。

没多给呀！哦，年初二按加班算，付双倍工资。

我还以为红包抵了这天的工资呢。杨姐赏罚分明的经营作风，让小伦暗暗佩服起她来。

你不是想学调鸡尾酒吗？我叫师傅明天教你。杨姐笑盈盈地说，欢迎你暑假回来，做我的调酒师。

杨姐说到他的心坎上了。杨姐不说，小伦心里也有暑假回凯悦的打算。

# 蝴蝶庄之秤

〇司玉笙

春节刚过，上面派我去王寨乡最偏远的蝴蝶庄当村长助理。

宣布任命的第二天，庄里的一辆面包车顺路来接我。开车的名叫棍棍儿，眼睛小而细，就像是睁不开，似是眉骨太重压迫的了。面包车破得也不像样儿，一个大灯被碰出窝儿，在前脸提溜着。车一动，那灯就哧啦哧啦响。蝴蝶庄位于黄河故道腹地，被称为王寨乡的“下野地”。到了村委会，也就是当地俗语说的村室，一看，村组干部都等着哩。村支书兼村长老姬迎上前来，搦着我的手猛摇。

“热烈欢迎，热烈欢迎！”

我不好意思地说：“我又不是啥大人物，咋弄这？”

“兄弟，你是第一个到咱蝴蝶庄当村官的大学生。比大人物还大人物！”

他搦罢，后面的又接上来搦，不一会儿我的手就生疼。

进村室落座，老姬先介绍了蝴蝶庄的基本情况。其实，我对蝴蝶庄并不陌生，在乡里因与老姬经常打交道，也是熟人了。知道这人是当兵出身，一身硬功，且极有个性。

他介绍完之后，忽然对我说：“咱庄有个不成文的规矩，是干部的，仨月就要过一次磅，就是称称体重，假如说你的体重超过以前，就说明你这人多吃多占了，要小心呢！”

他这一说，其余人都抬起头往我身上看，看着看着屁股就离开了连椅。

“司助理，上磅吧！”老姬向东间喊，“棍棍儿，把那本子拿来！”

棍棍儿手持一个小本本一蹦出来了，好像等这一声等了许久。跑到门后，把磅秤往这边推推，一龇牙翘出一个微笑。

我瞅瞅他们，他们也瞅瞅我。老姬说：“这有啥害羞的，咱男人身上的疙瘩蒲棒都是一样的，谁不知道谁？俺几个上磅都是脱得光溜的——脱吧，不想脱光留个裤头也中！”

在他们注视的眼光下，我将衣服一件件脱下，其中内衣内裤是棍棍儿搭了两把手帮我扒拉下来的。

赤裸裸地站在磅秤上，脚底板子透凉，仅有的那点隐私也叫他们看得一清二楚。我下意识地抱起膀子蹲下，想遮住些什么，可这是多余的——周围都是一双双腿，栅栏似的围得让人宽心。

大概就几秒钟的光景，听得磅秤上金属与金属相吻的声音，老姬就问：“多少斤？”

“六十八公斤半……”

“换成市斤就是……一百三十七斤——记下，记下！”

过了这第一次磅，我把蝴蝶庄当成了自己的家，整天忙着为庄里办事。村民欢喜，隔三差五地给我送些自制的酱菜和地里的鲜物。夜深人静时，我不由得站上磅秤过过体重。一看分量未增，就小声地对磅秤说声谢谢。

那天，村室里就我和老姬俩，他忽然问我到蝴蝶庄多少天了。我说我也没记，反正日子过得挺快的。他诡谲地笑笑，往磅秤上一站，咋呼道：“过来，过来，看你哥我的膘见长没？”

我一过去，他自己就喊出来了：“吆，我瘦了，瘦了，掉了三斤肉——上来，上来，看看你的！”

我站到磅秤上，老姬歪头拨着秤，一看停当了，报出个数字。

吆，毛重才一百三十五斤——兄弟，你也瘦了！

“没想到在咱庄还能减肥哩！”我调侃道。

很正常，很正常——你瞅瞅，蝴蝶庄的人很少有人发胖——谁想减肥，就到咱庄待上两年，看他掉膘不？

“是的，是的，有你在蝴蝶庄，谁也不会胖。”

“你这话说得中听。”

磅秤被他拍得吱呀作响，好像棍棍儿的破面包车开进来了。

“这秤有些年数了。”

可不，打我从部队回来，它就在生产队了。实行责任田时，啥都分了，就是这磅秤没动。我当了这村官，就将它放在眼皮子底下，看到它，心里就说，你可不能多吃多占长横膘，不知轻重瞎胡来。

他说这话时，手的动作变为抚摸。磅秤不再响了，静默得像一尊经历沧桑岁月的雕像。

老姬抚摸着这尊雕像，眼神里透出一种秋水般的凝重。

“你好啊，老伙计，这些年来，就剩下你自个了……”

他喃喃自语，双手捋着磅柱慢慢蹲下去，头就抵住了磅柱。他蹲下，我也不知不觉地屈下了身子，磅秤就高出了我俩。

隔着这根树干，老姬与我面对面，呼出的气息带有淡淡的烟味。他好像不知道我的存在，将沾在一个铁轱辘上的纸屑抠掉，又晃晃另一个。胳膊再一上举，我们俩的手就叠合在一起。

“兄弟，人就像一杆秤，谁轻谁重心自知！”

我无言，只是搦着他的手，越搦越紧。

# 活　着

○秦德龙

“你已经死了!”

“不，我还活着!”

“谁说的？刚才，你不是死过了吗？解放军‘砰’一枪，把你击毙了。你知道吧，你死了，你的戏也就演完了。你可以回家了。”

“我不回家，我还要演戏!”

“你死了，怎么演呢？没你的戏了。你活着，也没用啊!”

“反正，我不回家！你不让我演，我也不回家!”

“你咋这么倔呢?”

“我身上的钱，都给你了，我回家干什么?”

“掏钱是你自愿的，我又没强迫你!”

“那你退钱吧。不退钱，我就去告你，告你把我骗了!”

“告我？小兄弟，你没搞错吧?”导演的口吻软了下来，“小兄弟，你也知道，拍电视剧，是大家筹的钱！钱花得差不多了，正好，你的戏也演完了。别说了，你回家吧。”

在电视剧《解放K城第一枪》的拍摄现场，群众演员根生与导演发生了争执。根生扮演的是敌兵队伍里的一个“群众”。拍到第5集，这个“群众”就被解放军给毙了。电视剧一共30集，只拍了5集。根生就没戏了，根生当然不愿意了。要知道，根生是花了500块钱才争到这个角色的。

没错，别人拍电视剧都是挣钱，根生却是贴钱。贴钱他也愿意。只要能上电视，贴500块钱算什么？

贴钱的还有几个老革命。这几个老革命，当年提着脑袋，参加了解放K城的战斗，战友们牺牲了，他们活了下来。他们希望有人把解放K城的场面演一演，以告慰牺牲了的战友。如果说，这也算是抢救什么非物质文化遗产的话，他们就是自己抢救自己了。不然的话，老革命一旦作古，历史上这一页就成了空白。

为首的老革命叫张解放。解放那年，他改的名字。张解放拿出了20万元，赞助拍电视剧。其余几个老革命，李解放、王解放、赵解放等人，也各自拿出了自己的积蓄，3万元、2万元、1万元不等。20多万元拍电视剧，算不算异想天开？导演说，钱不够，只好到民间拉赞助。就这样，根生就被拉进来了，还拉进来了一些愿意掏钱演戏的群众演员。赞助200块钱的，第2集就死去了；赞助300块钱的，第3集也死去了。赞助800块钱的，将在第8集死去。根生赞助了500块钱，当然该在第5集死去。

但是，根生不愿意死，电视剧还没拍完，他怎么能死呢？根生软磨硬泡，赖在剧组不走。

不走就不走吧。导演让根生打杂。

可是，谁都没想到，张解放突然提出要撤资。

张解放说："导演，对不起了，我老伴得癌症了，急需用钱化疗！"张解放还说，给剧组的5万元不要了，没给的15万元，不给了。

张解放一撤资，其他几个老革命也要撤资。怎么撤呢？前期的投入，都花光了呀。几个老革命不管这些，围着导演要钱。

导演焦头烂额了。

导演沮丧地说："你们去告我吧，我没钱退给你们！"

几个老革命摇摇头，叹叹气，表示不能去告。告导演，不仁义啊。毕竟，导演拍的是《解放K城第一枪》。

倒是拿了50万元赞助的A局B委C办把导演告下了。电视剧不拍了，公家的钱不能打水漂啊。电视剧说不拍就不拍了，那不是白白赞助了吗？原本是要植入几条广告的，原本A局B委C办的头头是要在电视剧里露露脸，过过瘾的。

电视剧不拍了，怎么说也得退钱吧？不退钱，就告他，告他个鳖孙！

这一切，根生都看在了眼里。他也知道，电视剧拍不下去了。未来，怎么办呢？他不知道。反正，不能拔腿回家。

来了一辆警车，把导演带走了。A局B委C办联名把导演告了，告他诈骗罪。

根生去找张解放，请他把导演保出来。张解放望着根生，半晌不语。根生在张解放的面前跪了下来，长跪不起。许久许久之后，张解放把根生拉起来，带着他，去找了李解放、王解放、赵解放……

几个老革命，把导演保了出来。

导演含着泪说："《解放K城第一枪》一定要拍！我就是砸锅卖铁，也要把钱凑齐！"又转脸对根生说："你的戏重拍，我不让你死，每一集，我都不让你死！"

根生笑了。

导演把自己的积蓄拿了出来，还找到了媒体帮忙。媒体一出面，赞助费就哗哗啦啦地打过来了。

《解放K城第一枪》重新开机了。几个老革命成了电视剧的军事顾问。张解放用轮椅推着老伴来看拍电视。军事顾问们笑着对根生指指点点。根生成了个永远都不死的群众演员。在重拍的镜头里，他扮演一个正面角色，一个谁都打不死的革命群众。

# 火红的木棉花

〇曹木静

夜幕下的小岛，被几盏灯火点缀着，海浪挟着晚风的余威，肆虐地拍打着礁石，连队驻守在这远离大陆的不足两平方公里的小岛上。晚饭后，阿满像往常一样，带着两名战士，迎着海风沿着那条崎岖不平的石路，开始了巡逻，阿满和战士们仔细而认真地走着，不放过任何一个角落，尽管今天是“八一”建军节，但也不能例外，比平时足足多用了半小时，才巡逻完，回到连队时，小礼堂内灯火通明。

驻地人民为了表达对连队官兵的敬意和爱戴，带着一片深情厚爱，来到连队进行慰问，并联合举行了这场晚会，节目全是战士们自编自演的，但兵味十足，风趣浓烈，时不时引来阵阵喝彩。

阿满回来后，走进了小礼堂，里面正演着一个小品，幽默的语言，滑稽的动作，逗得大家捧腹大笑，阿满落座后，小品刚好演完。

主持人走上来报幕，由于去巡逻错过了好几个节目，单调的生活，紧张的训练，使他对这样的晚会充满着期待。

正想着，负责主持的女兵说：“下面我们请老班长阿满上台来。”阿满心生疑惑地站了起来，在主持人和周围战士再三鼓励下，才慢慢地走上了台，不知所措地对主持人轻声说着：“我没准备节目啊。”

“今天你可是主角，我们专门为你准备了一个节目，不过还有一位嘉宾和你配合表演。”主持人正说着，在两名战士的簇拥下，一袭白色婚纱的漂亮女子，深情款款地从幕后向舞台中央走来。顿时礼堂内掌声雷动，阿满也被这突如其来的一幕惊呆了，这位嘉宾不是别人，正是自己远在老家的未婚妻朱秀英。见阿满一脸的惊愕，“你没空回去，我就过来了”，说这话时，秀英羞涩的脸庞上，迅速飞过两片幸福的红晕。

入伍已经十一年的阿满，算是连队的“元老”级人物了，换了三任连长，但不变的是阿满这颗拳拳的报国之心，凭着过硬的专业素质和精湛的军事技能，在军师级的军事比武中多次摘金夺银，三次荣立三等功，参加过抗洪抢险、抗震救灾等任务，因参加部队重大演习，他两次推迟婚期。这次说好的，八一回去和未婚妻朱秀英举行婚礼的，但面对这历年罕见的超强台风，他不得不再次失言了。

秀英是位通情达理的好姑娘，她二话没说，毅然在没有通知阿满的情况下，只身来到了部队，并找到了领导，要求在部队举行婚礼。领导得知后，十分重视，并答应了她的请求，秘密地筹划了这场婚礼，为了不使阿满在执行任务中分心走神，更为了给阿满一个惊喜，于是就出现了刚才的那一幕。

这次超强台风，来势汹汹，范围小、路径曲折、发展快、强度大，部队上下都十分重视这次抗击台风工作，要求尽最大可能减少损失，并全力保住人民群众的生命和财产安全。

每次台风来，转移岛上群众都是一件大事，也是最为重要的事，阿满和战友们带领全班人员挨家挨户地劝说，并把他们转移到了连队的防空洞内，战时的工事，当台风来临的时候，却是最好的避风港湾。

为了确保万无一失，超强台风登陆前，阿满还是放心不下，带着几名战士，再次进行了巡逻，果然在一户乡亲的家里，发现了一位大爷。原来他从防空洞里回来取他的烟袋。阿满和几名战士，冒着大风和如注的雨点，将大爷劝回了防空洞内。

当风停雨歇后，阿满和他的战友们迎来了自己的节日——“八一”建军节。

身着漂亮白色婚纱的朱秀英，站在舞台中央，灿烂的笑容如花儿绽放在她的脸上。看到日夜思念的未婚妻，阿满激动得一时不知说什么好，一种巨大的幸福感瞬间传遍了全身。

“阿满和朱秀英小姐的婚礼，现在开始！”主持人话音刚落，神圣的婚礼进行曲响了起来，全连官兵和前来慰问的驻地领导共同见证着这对新人的婚礼。

“新郎、新娘互戴戒指！”战友们走上舞台，递过两枚“戒指”——这是战士们在抗击台风之余用榕树叶精心编制的戒指。

阿满和朱秀英为对方戴上结婚“戒指”后，幸福地相视而笑。

“下面，请新郎新娘入洞房……”

原来，连队领导和战友们早已在连队的家属房，悄悄地为其布置了“洞房”，房间内摆满了战友们买来的喜糖和瓜果点心。

屋子虽然不大，但婚礼的喜庆一样不少，气球、彩带、喜字，应有尽有，显得十分温馨且浪漫。

部队驻地，长着一种树叫木棉，木棉花自古被誉为英雄树、英雄花，树干直立高大直指苍穹，阳刚气十足，每年开花时，红色的花，如一团团火似的热情奔放，分外娇艳。

阿满和秀英的幸福之花就如这火红的木棉花一般，盛开在孤寂的小岛上，是那样的惊艳，那样的妩媚。

# 击毙

〇晓　立

今天是儿子的生日。作为父亲，他已经答应放学后去接儿子，并有礼物相送。

一起突发事件牵动着每个人的神经：一个绝望的男人，身缠强力炸药躲进一座居民楼内，打算同归于尽！

特警迅速将楼围定，严密监视，并快速疏散楼内的居民。然而强力的爆炸将会引起连锁反应，影响极坏，甚至有可能波及附近的化工厂。

一个击毙计划即将实施！可是男人躲在楼内房间里，外边无法看到，就连喊话也是徒劳。时间在一分一秒地过去，爆炸随时可能发生！

他作为今天的指挥员之一，迎着周围那火辣辣的目光，不再犹豫——必须近距离击毙，且要快速准确，方能万无一失。多年来他出生入死、屡立战功，此时只有自己进去才最有把握。他静想了片刻，歹徒手不离起爆器，只有一枪毙命，方能成功，否则一切都晚了！他甚至想好了三个动作：掏枪、瞄准、击发，只要给自己一两秒时间，这一切就结束了。

现在，他摸出自己心爱的手枪，弹出子弹夹，又“叭叭叭”快速地退出子弹，只留下最后的一发。因为他只有一枪的机会，成败在此一击。此时已是下午四点一刻，政委拍了拍他肩膀后，他便大步地朝楼房走去。在接近楼道口的时候，他忽然想起了什么，转身回到政委身边要过手机，拨通一个号，告诉妻子去接儿子吧，自己正在执行任务。

楼道静得要死，只有他的脚步声“咚咚”地响，显得那么铿锵有力。在接近那个房间时，他异常镇定：“老包啊，我来了。你不要乱来呀……”

一阵之后，是男人慌乱的声音：“你别过来！别！……我不想活了，不用你管啊……”

他没有停，而是放慢了脚步，隔窗而立。男人前妻几年前病逝，有个儿子在上初中，男人后来又找了个外地的女人。老包木匠手艺不错，有十多万存款，不想让这个外地女人风一样地全给卷走了，弄得人财两空。老包在绝望中恨这个社会，恨所有人，恨自己无能。

他是知道这一切的，但理性告诉他为了执行命令，保护更多的生命财产，只有致命一击啊！此时，他透过窗玻璃，看到老包缩在墙角，脸庞消瘦，神色慌张，就更有了信心：“老包啊，让我进去，今儿个咱俩好好谈谈。”

“跟你没什么好谈的！你能给我钱，给我一切么?!”老包声音好大，且有些发颤。

他缓缓地踱进屋，慢慢立在门边。

“别靠近我，要不我就按了啊！”老包右手放在起爆器上，嚷。

“……先别，谈完了你再死也来得及呀。”他悠闲地站在那，老包紧靠对面的墙壁坐着，手一刻也不离起爆器。

为了寻找时机，他让老包递给自己一支烟。他想只要那右手一离开，他这一枪就响了。然而，让他大失所望的是，老包是用左手将烟和火机扔过来的。

他沉稳如山，随手从地下拾起一张老包印制的《自杀告示》，假装看了起来。他边看边用烟头烫出洞来，凭此观察老包的神情与动作，寻找时机。老包的手抖得厉害，随时有误按起爆装置的危险，必须抓紧一击！当他弯腰扔烟头的瞬间，借着手中《告示》的遮挡，他已掏枪在手，并完成了击发前的两个动作——掏枪和瞄准……

他忽地发现，老包竟涌出了眼泪，心立刻“软”了一下：“你何必要走这一步呢？你有手艺，只要有这条命，钱是可以再挣的么。”他见老包没有吱声，感觉内心有个火星在一点点跳动，那是生的火焰。他知道，谁能保证在枪响的一瞬老包不会下意识地按动起爆器呢？那后果将是一样。

“跟我走吧，等出来后再挣几年钱，娶个媳妇，不一样过好日子么？”他说得很动情。老包有了抽泣之声：“我完了……没有好日子……”就用手交替抹开了眼泪。

机会来了……可他却说：“老包，只要你放弃这个念头，咱再好好谈谈。”他长长出了一口气，有些动了情，声音很大并有些颤抖地说：“你我都是做父亲的，如果你死了，谁来照顾你的儿子呢?!”他做出一个非常规举动，当着老包的面竟退出了弹夹。

“我的儿子……”老包满脸泪痕，陷入深深的思考中……

又过了很长一段时间，大家看到他搀着老包缓慢走出了大楼，政委和干警们急忙上前接应。

此时已是下午六点了，他的儿子又来了电话，说爸，等着你点蜡烛呢，你的礼物什么时候送来呀?

他想这礼物可贵重了，鼻子便一阵酸楚……

# 临门一脚

○凌可新

王九喜欢足球，他很希望儿子也喜欢。王九看比赛看得昏天黑地，儿子却连一眼也懒得瞥。王九问儿子喜欢什么，儿子说二胡。王九想，儿子当不成球迷，当个音乐家也不错。就给儿子报了个二胡班，星期天过去学一天二胡。

连王九都没想到，儿子果然有音乐天赋。这二胡才学了没多久呢，拉起来就有模有样，很像那么回事了。王九很高兴，拍着儿子的肩膀说，好好学，等你成了音乐家，老子给你当经纪人。儿子问经纪人是干什么的，王九嘿嘿一笑，说，替你数钱啊笨蛋。

儿子学得最好的曲子，叫《二泉映月》。回来练习的时候，儿子一拉就是半天。王九听着有点悲惨，问儿子这曲子咋这么个调调。儿子说老师就这么教的。王九说，老师挨打了吧？儿子一脸迷糊，王九说，没挨打，能拉出这么个调调？

下一回王九送儿子去学二胡，看见教二胡的老师竟然是个女孩，长得清秀，一脸喜气，不像是挨过打的。可是没挨打，她怎么能拉出那么个调调来啊？再说现在生活多好啊，社会多和谐啊，拉二胡，用得着那么个调调吗？

趁学生练习的空隙，王九就这个问题请教老师，老师抿嘴一笑，说，《二泉映月》的作者是阿炳，很著名的哎。这个曲子也特别特别著名的哎。二胡比赛，想表现出高水平来，一般也都选这个曲子的哎。王九说，可我听着怎么有点惨啊？老师说，阿炳老师生活在万恶的旧社会，受尽了压迫，眼睛又瞎了，爱情也没有，想想吧，这样的状态，他能幸福得了？王九噢了声，明白了。

儿子学了几年，参加当地的比赛，竟然得了一等奖，被选中到省里参加大赛。王九非常兴奋，这跟中国足球队进了世界杯差不多。儿子去参加比赛，他也跟去了。自费也愿意。

儿子的老师还是那个女孩子。不过现在已经是个少妇了。但她还是那么漂亮，王九一看她，就有点发晕。所以王九不敢正眼看老师。

老师只带了王九儿子一个人来参赛。如果儿子得奖了，老师也成名了。所以老师很重视的，跟王九说，你儿子有天赋，将来成为著名的二胡演奏家，基本上没什么问题哎。不过有一点我还是把握不住，就是你儿子似乎扎实度不够。王九说，这怎么说？老师说，有时候，你儿子进入得慢些。王九说，进入是什么意思？

老师的脸红了一下，说，一般搞艺术的，往往得有氛围。如果进不去，就无法很好地表达了。而一旦进入到艺术的氛围里了，这时，他就能够达到物我两忘的境地。这时的发挥，就会超常了……噢对了，用境界来形容最准确。

境界王九还是懂得的。他看球时，往往非常容易就进入进去了，虽然是在自已家的电视机前面，可感觉就跟进入到现场一样，球队踢一个好球，他就会跳起来欢呼，踢了臭球，他也会跳着脚骂。输了球，东西他也摔了不知多少。那叫球迷境界。现在儿子在比赛的时候，是应该进入到音乐的境界的。老师想表达的也是这个意思吧？王九就点点头，问老师，有什么法子吗？

老师看着王九，说，主要还是现在的人，无法体会到阿炳老师当时的心境哎。也只有体会到了痛苦、悲伤，甚至绝望，才有可能与《二泉映月》真正地融在一起。你儿子的水平有目共睹，只是临场发挥……也就是说……王九避开老师的目光，是不是说我儿子还差临门一脚？

临门一脚？老师的眼睛一亮，把着王九的手说，你说得简直太准确了。就是这临门一脚。若是踢好了，球进了，也就成功了哎。否则……

王九想问老师是不是也是球迷，但显然，现在儿子的事情是首位的，就没问，说，老师你说该怎么办？老师苦恼，我也不知道啊。现在的孩子，生活条件太优越了，他们哪里体会得到阿炳老师当年的心境呢？

这确实是个问题。王九也想不出来。转身跟儿子说，儿子说，我只知道阿炳是个瞎子。王九说，他受了那么多苦，你知道吗？王九说，他还没女孩喜欢，你知道吗？儿子连连摇头。王九痛恨地跺脚，你成功不了，老子就当不成经纪人了啊儿子……

轮到儿子出场了。王九急得不得了。看着儿子就要往舞台外去，心里一动，叫了声回来。儿子抱着二胡过来，眼巴巴看王九，王九盯着儿子，突然啪啪在儿子两边脸上各打了一巴掌，儿子疼得想哭，王九恶狠狠地说，哭？哭老子就宰了你个狗日的。要是出去拉不好，老子也一刀一刀宰了你！他在儿子屁股上踢了一脚，给老子好好记着了！

儿子上场了，老师推了王九一把，说，你干啥打人啊？还踢人啊你？王九嘿嘿一笑，说，你不是说要临门一脚吗？老师说，那只是个比喻啊。哪里能真动手？王九说，我心里有数。

儿子出场后，坐下，手把着二胡，低头。不知在想什么。王九瞅着他，看见儿子抬头，眼睛亮亮的，像是哭了。接着儿子把二胡架到腿上，一手握弓，一手抚弦，手一动，《二泉映月》就水一样流淌了出来……

最后一个音符消失了，整个赛场一片沉寂。片刻，雷鸣般的掌声响起来。王九知道儿子成功了，一转眼，却被站在一边的老师抱住了。老师流着泪，什么也说不出来。

儿子荣获一等奖，所有的荣誉都得到了。王九瞅瞅泪流满面的儿子，再瞅瞅自己的手和脚，它们不久前还分别打过和踢过儿子的。一时王九不知道应该怎样跟儿子解释。

# 民工兄弟

○李世民

售票大厅的5号售票窗前，排队的旅客摆成了一条狗尾巴形状，也许是就要过年了，大家都揣着几分兴奋和焦急，所以狗尾巴也在不断地变换着姿势。

当民工黄小开从狗尾巴的梢端拥到狗尾巴的根端的时候，才知道身上的钱包不见了。一瞬间，黄小开像被猎人击中的小鹿，在疼痛中痉挛着；一瞬间，黄小开也改变了对这个城市的看法，他甚至愤怒地认为，这个城市坏透了。

其实，黄小开早就想看一看自己的钱包，只是左手拎着一包臃肿的行李，右手揽着一个退色的凉席，没有腾出手来。黄小开想不起来自己的钱包是在公交车上还是火车站里被人偷走的。黄小开后悔了，后悔自己没有扔掉退色的凉席。黄小开更后悔的，是自己乘错了车。本来，从工地到火车站，黄小开应该乘18路公交车，后来，他又改变了主意，乘坐了26路公交车。因为，26路公交车比18路公交车多拐了几道弯、多绕了几条路，黄小开的目的，就是为了多看一眼这个花花绿绿的城市和这个城市的花花绿绿。

后悔之余，黄小开又觉得庆幸，庆幸自己仅仅丢失了一个钱包，庆幸钱包里仅仅装了一百多块钱。

说是钱包，实际上是一个布包。头天晚上，黄小开已经准备好了，他在布包里放了一百多块钱，用来买车票和一些零碎物品的；更多的钱，或者是说自己8个月的工钱，黄小开全部结结实实地缝在了贴身的内裤里。

丢了钱包的黄小开心情很复杂，他像一只找不到食物的小虫子，在售票大厅里转着圈子。在铁路女广播员温润柔和的声音里，黄小开越来越焦急起来。虽然身上装着可以买几十张车票的钱，可是在这人来人往的售票大厅里，黄小开没有任何的借口和主意把缝在贴身内裤里的钱取出来。

终于，黄小开还是想出一个办法来。这个办法是在黄小开内急的时候突然闪现出来的，他甚至还“扑哧”笑了一声，活人哪能让尿憋死呢。黄小开这样想的时候，已经瞅见了售票大厅左边的公共厕所，他想，只要进了厕所，一切的问题都解决了。

黄小开几乎是用冲刺的速度向厕所奔去的，他的样子很夸张，而且，左手拎着一包臃肿的行李，右手揽着一个退色的凉席。

黄小开是被一个女人拦住的，黄小开觉得，那个女人的脸，就像自家的面盆一样宽大而瓷实，那个女人的样子，也像自家好吃的猪一样自私而贪婪。不过，女人拦住黄小开的理由非常充足：收取5毛钱的如厕费。

黄小开知道，自己和女人没有矛盾，黄小开还知道，女人也没有错，可是，黄小开心里却像堵塞了一团南瓜秧，他站在女人面前，翻开了自己所有的外衣口袋。黄小开这样做，是为了让女人看的，然而，女人偏偏把宽大而瓷实的脸扭向了一边。

黄小开急了，说，你先让我进去，回头给你5块钱。女人根本没有扭脸，只是平静地说，你这样的人，我见多了，谁稀罕你的5块钱，我只收5毛钱。

望着售票大厅里流水一样一波又一波的人群，黄小开的眼泪，一下就涌了出来，人群里，没有一个他认识的人，人群里，也没有一个人认识他。这时候，黄小开幻想着能有一个熟悉的面孔突然出现，而黄小开又非常清楚，同乡的伙伴们10天前就结账回家了，只有黄小开，为了多挣一些工钱，留在工地上收拾尾巴工程，在这个拥挤喧闹的陌生城市里，黄小开已经没有熟人了。

黄小开站在那里，委屈、孤独而失望。

就在拥挤喧闹的人流里，突然之间伸出一张手来，那张手扔出一张100元的钱，飘落到黄小开臃肿的行李上。

就在拥挤喧闹的人流里，黄小开搜索到了那个人，黄小开不敢相信，那个人，是工地上的一个外乡民工，那个外乡民工，黄小开几乎没有和他说过一句话。有一回，那个外乡民工和王小开争活计的时候，两个人甚至还干了一架，外乡民工的腿，被黄小开踢了几脚，黄小开的脸，被外乡人抓了一把，至今，黄小开的脸上，还有一道伤痕……

就那个外乡民工，和黄小开一样，留在工地上收拾尾巴工程。黄小开不知道，那个外乡民工比自己大还是比自己小，黄小开却知道，那个外乡民工，是个哑巴。

黄小开踮起脚，眼睛跟随着外乡民工，从近处走向远处，很快，外乡民工消失在人流的旋涡里。

黄小开禁不住喊了一声：兄弟——

黄小开想：明年的春天，你还来这个城市吗？我的兄弟！

# 女兵的心事

○王培静

大三时，许多同学都在忙着谈恋爱，确定未来的工作方向。当毕研听说部队要招收国防生的消息后，她的心动了，因为她的高中同学鲁一贤就在西藏当兵。

再说，她从小就有个女兵梦，考上大学后，原以为这辈子没机会穿那身既漂亮又精神的绿军装了，没想到上天能来给作美。

那几天，晚上她兴奋地翻来覆去睡不着觉时，同寝室的周东东说，研研，老实交代，最近是不是谈恋爱了。

另几个女同学也说，这两天研研是有点不正常，是不是拿下了个富二代，宝马、别墅都到手了。

研研想了想说，那样的好事，我做梦也不去想，我是想去——当兵。

当兵？东东上来摸了下她的眉头，你没病吧？

另几个女同学也都七嘴八舌地说，都什么时代了，还有这么天真的想法。

你受得了部队上那罪？烈日下要和男兵一样训练，你这光滑可爱的小脸蛋，能承受得了？晚上还要值勤站岗，你不害怕？

听说部队上连内衣都是统一的大背心、大裤衩，不让戴首饰，不让化妆，多没意思。

不论同学们怎么说，当研研参加了学校组织的国防教育动员会后，更坚定了报名参军的决心。

她心里想的是，要给鲁一贤一个惊喜。

她想象着：当有一天，趁休息日赶去看他，一下子出现在他的面前时，他会是一个什么表情？不相信自己的眼睛？又惊又喜？然后两人开心地走向荒无人烟的野外，天是那样的蓝，空气是那样的清新，两人好好说说知心话，叙叙离别之情。

谈话、填表、体检，一切正常地进行着。

可当她知道学校没有去西藏的名额时，心里不免有些失望。但又一想，能穿上军装，自己的梦想就实现了一大半。军队要换防什么的，说不定哪一天，自己会被调去西藏，或鲁一贤会调到她所在的军营，那样的话见面会更有意思。

结果毕研和十几个女同学被分去了西沙群岛，当她们乘飞机，倒火车，又坐轮船，换快艇到达岛上时，路上整整用了六天六夜。

刚一上岛，毕研感觉这儿太好了，碧水蓝天，可以天天看到大海，还有那么多海鸟。

第二天，刚上岛的女兵们，就领略到了海岛上太阳的威严，早晨起床后还有些凉意，出操时太阳就开始发威了，几圈跑下来。个个脸上淌汗不说，身上也湿漉漉地难受得不行。没待两天，所有人都后悔来这儿了，毕研也不例外。

上级规定，每个人一天只能用一脸盆水。看着离海这么近，但海水咸度太高，不能洗脸、不能做饭、不能喝、也不能洗澡。

听老兵说，正常情况下，半个月才能洗一次澡，要是赶上大风大浪，给养船来不了，一个月洗一次澡的情况也有。男兵们更惨，一个月才能容许洗一次澡。这对爱美的女孩子们来说，绝对太难以接受了。

整整三个月的新训结束，毕研身上掉了十斤肉，才开始几天，浑身累得骨头像散了架，饭吃不下，觉睡不着。毕研以为自己会坚持不下来，会打退堂鼓。她不敢照镜子，脸、脖子黑了，几乎掉了一层皮不说，可能由于水土不服，脸上长满了小豆豆，还被紫外线涂上了重重的油彩。但现在全身倒感觉有劲了许多。

这天是休息日，她穿上军装，破例偷偷打扮了一下自己，跑到海边，用手机给自己拍了许多照片。她坐下来，从拍的照片中挑了张自己最满意的，写了两句话：一贤战友，看看我是谁？能认出我这个丑女孩吗？发了出去。

等待的时间显得特别漫长。她以为鲁一贤收到她的照片认不出她来了，所以没有回话。又一想，也不对呀，她知道自己的手机号码呀。是离得太远，信号传不过去也有可能。当她默默不乐，对此事不抱任何希望时，三天后下午训练回来，打开手机，突然看到有一条未读短信。

她感觉脸上一阵发热，幸好脸上的红色掩盖住了她的内在表情。她看了看四周，见没战友注意她，悄悄走了出去。

这么长时间，她从没把自己穿上军装的事情告诉过鲁一贤，他肯定还以为自己始终还生活在东瑞的大学校园里。找了个没人的地方，毕研打开了手机：研，这不是你吧，你没有这么瘦呀。要是你，这是穿人家谁的军装照的相？想穿军装照相，等我探亲回去时，让你穿上军装照个够。看完短信，毕研的心跳有些加快，哈哈，他猜出是我来了。毕研想了想，又回了条短信：一贤，我参加国防生应征入伍到部队三个月了，我现在南海舰队的西沙群岛服役。可经过风吹日晒，我黑了，也变丑了。

两天后，鲁一贤回了短信：研，你说的是真的吗？那我们今后就是亲密的战友了。在我心里，你穿这身军装的样子最好看，最美。

看完短信，毕研流下了幸福的眼泪。

# 青豆花开

○陈　敏

诗人草根遭遇了一场车祸。一周后就从医院回来了。

草根回来后，在乡下的院子里摆了一场宴席，为他大难不死好好地庆祝了一番。亲朋好友，左邻右舍，能邀请的全都邀请了，那个肇事司机竟然也被列入了邀请名单。

“没什么大碍吧？”

“还好，唉，就是头有些闷！”

“大难不死，必有后福！”

“谢谢啊，谢你吉言！”

草根的眼睛红红的，脸上却有一种洋洋喜气，嘴巴乐得一直咧着，有点恍若隔世重返人间的新鲜感。一周前，3 月 24 日，天刚蒙蒙亮，寒气尚未退去，路边金黄的迎春花还沾满露珠的时候，草根就起来了。他看看天，看看地，然后，摸了根烟，燃了，叼在嘴上，从门后捞了把锄头来到青豆地，给青豆翻土，好让那油油的春雨降下来时，迎接它的不再是板结的土地。

市电视台的阿曼说等暖和点了就来，吃他亲手种的青豆。一想到阿曼要来，草根就满心欢喜。他就认认真真地把青豆地翻了一遍，好让青豆长快点。

昨夜，他做了一个梦，梦见青豆花开了，蔓儿长得又密又长，嫩嫩的叶子上开满了紫色的豆荚花。阿曼来了，她穿着一件石榴红的长裙，走进青豆地，在晨曦中向他微微一笑。醒后，灵感顿时袭来，一股异样的情愫从心底涌起，像晨风，悠悠地钻进被窝里。于是，他裹衣，爬在枕头上给阿曼写情诗，写了一些青豆花开的妙句。在他看来，每天给她写情诗和他每晚在电视上看她一开一合的小嘴巴一样让他心里欢喜。

太阳慢慢爬出了牛背梁，鲜嫩鲜嫩的。他伸手在口袋里摸手机，却摸了个空。他把手机忘在床头上。他想这会儿应该给阿曼发个信息，告诉她青豆长出来了。

菜地恰好锄完，他收拾回家。他要拐过村里的大路，抄近路回去，那里需要穿越一条国道。他刚上到一个慢坡处，一辆组装的货运车从最高处出现，嘟嘟嘟，冒着黑烟，老虎一样扑了过来，草根左闪右闪，就被抛到了八九米深的涧底。

一切都静止了。草根觉得整个世界都成了冲洗过的底片，影子一样，模模糊糊地在他眼前飘。他感到脑子依然很清晰，万分清醒地穿越一条很长的甬道。甬道上挤满了形形色色的人，有他认识的，也有一些陌生的人。他们都行色匆匆，朝一个黑色的大门走去。不过他们与他没有多大关系。他要重点等阿曼，怕他过了这个门阿曼就找不着他了。阿曼却迟迟不来。

一股无形的力把他的身体高高抛起，又重重落下。他感到自己像一个被人牵引着的气球。一会儿朝东，一会儿朝西，无边无际地漂浮着。他还看见一轮太阳消失在暮色里。他听见阿曼渐行渐近的脚步声……

他扯开嗓子喊阿曼。却喊不出来。他的喉咙干得像塞了一个棉团，他渴极了。

草根——

阿曼的声音由远及近地传来。阿曼来了。他听得清清楚楚。草根身体微微一颤，突然醒了过来。

他正躺在医院的病床上，浑身上下插满了塑料管子。几个白大褂正在他的身体上忙碌着。“醒了，醒了!”昏迷了三天三夜的草根从阿曼的一声呼唤里醒了过来，死寂了几天的病房复活了。

草根两眼盯着阿曼，一动不动的，直到阿曼那张秀气、轮廓分明的脸由白变成了酡红。

庄子里弥漫着一股酒香。各种评说也像酒香一样飘浮在空气里。

“草根真是怪了，那么多人唤他，妻子女儿擤鼻涕扯泪，唤了几天几夜，他就是醒不过来，唯独电视台的阿曼，像猫一样咪了他一声，竟把他咪醒了!”

“那你也死一回，找个美女来唤，看能不能活过来?”有人补充。

“草根心眼好，遇到了一个好司机，是本村娃，当天就借了十万送来。如果遇到了外地的白眼狼，油门一踩，早跑人了。”

“可不是!”

“草根真是命大，福也大，一滴血都没流，估计还能净落好几万吧?”

“那一定的!”

宴会在闹闹嚷嚷中进行着。草根趁着酒兴，做了另一件事。他约肇事司机到青豆地边，掏出十万元，原封未动地退了回去，说：“你这怂娃子以后开车开慢点，别专门冲人身上开嘛。”

草根背着手，甩着不大灵活的腿回来，没走几步，就被几个记者模样的人围了上来。他刚看见阿曼，阿曼手里的麦克风就递到了他的唇边。

# 睡馆的人

〇秦德龙

睡馆的人，就是在图书馆睡觉的人。图书馆贴出了招聘启事，要招聘一名睡馆的人。白天，在图书馆当管理员；晚上，就睡在图书馆内。体制内的管理员，养尊处优惯了，没人愿意睡在图书馆。图书馆这一行，有本事的不想干，没本事的干不了。当然了，也不是谁想在图书馆睡觉，抱着被子就能来睡的。

张小桥应聘了。

与他一同应聘的还有麦家康。

他们得到了属于自己的小房间。晚上，可以打地铺睡觉。小室内有书桌，墙上有书架。倒是个很不错的读书场所。这很重要。他们要读的书很多。如果借书回家去读，搬来搬去的，很不方便。秉灯夜读，是一件多么美好的事啊。

白天，在图书馆搞服务，是很少有闲暇读书的。图书馆免费开放后，越来越多的人，进来翻阅图书了。管理员总是忙得不可开交，只有下了班，才能静心独处。

张小桥和麦家康也会闲聊。聊中国古代的藏书楼，聊中外知名的图书馆。比如，宁波天一阁、牛津图书馆、北京图书馆、哈佛图书馆……聊到尽情处，就会生发感叹：书籍，是人类进步的阶梯；图书馆，是人类飞跃的头颅啊！

图书馆是个天堂，通过地毯式的阅读，他们像农夫收割一样，颗粒归仓，摘取了丰硕的果实。睡馆生涯，也使他们认识到了，自己必须认输，向历史认输，向真理认输，向大师认输，向书籍认输。

他们找到了通往新世界的门，对许多问题有了清醒的认识。是的，他们也为国民的阅读现状而忧虑。我国40%的家庭，藏书量不到20本，我国公共图书馆不到3000座，平均40多万人一座；而美国平均不到3万人一座。可悲的是，我国人均图书消费量居然20年不变！有了焦虑，就免不了要说点什么。有一天，他们找到了馆长，说出了自己的想法。他们建议馆长，可以在地铁沿线建一些流动的图书站，不需要登记，自由取阅，只要求乘客在出站口归还。

馆长笑笑说："上海搞过这个试验。最初的一个星期里，平均每天流失图书500多本，高达50%。后来，又运行了两个月，图书流失率下降到三成左右。"

"看起来流失的是图书，受伤害的却是整个社会的诚信。"张小桥说。

"损失是小事，阅读是大计。我们情愿图书被盗，也不该让他们锁在书库里！"麦家康说。

馆长意味深长地说："年轻人，仅有良好的愿望是不够的。记住，不要单纯地追求阅读率。图书馆并不需要保卫，不需要发动读者进来把书借光。表面的热闹，是不会持久的。图书馆是为需要读书的人开放的。"馆长又对他们说，"安心在图书馆睡觉吧。"

显然，馆长不同意他们的想法，只让他们安心睡馆。

可他们却失眠了。既然无法入睡，就睁眼讨论问题，从秦始皇焚书坑儒，说到德国法西斯全国禁书，从侵华日军掳走大量中国图书，说到民国政府向海外转移图书馆藏而最终归至台湾……

"个人读书可以充满活力，全民阅读可以使国家强盛。个人要改变命运，必须通过读书。培根说，知识就是力量。"张小桥说。

“阅读是文化寻根。阅读教育是母语教育的核心环节。民族文化的传承，有很大一部分必须依靠阅读来完成。”麦家康说。

共同的兴趣和爱好，使张小桥和麦家康成为最好的朋友。后来的某一天，他们又结伴去拜访馆长了。在他们的心里，馆长就是文化大师，就是智慧大师。他们很想听听馆长讲述过去的故事，以激励自己奋勇前行。

馆长慈祥地笑着：“你们也许不知道，我也曾是睡馆一族。当年，我睡馆的时候，也苦闷过。为什么呢？因为，我对许多问题想不通！怎么办呢？我就找些图书来读。鸦片战争、太平天国、明治维新、路易十四、艺术发展……我都拿来读。不过，我是当做消遣来读的。说也奇怪，当做消遣来读，竟然过目不忘！图书是用来养心的，不是用来养眼的。阅读的关键是养心啊。”

馆长谦和地说着：“读书的孤独与痛苦，其实换来的是内心的完整。睡过图书馆的人，是心神安逸的人。因为，灵魂有了休息的地方。而休息的同时，灵魂又在潜移默化地接受书籍的熏陶、浸染。”

张小桥和麦家康露出了若有所思的目光。

现在，他们还在坚持睡馆。虽然，他们各自都有女朋友了，但总要回到图书馆睡觉。说也奇怪，离开图书馆的环境，再温馨浪漫的小屋，也难以入睡。

# 乡下大嫂

○江　岸

平生第一次踏进乡派出所的大门，她脸发烫，双腿不听使唤地乱抖，仿佛秋天枝头一片摇摇欲坠的枯叶。有点像打摆子。坏人才进派出所呢。村里有几个人，赌博败了家的罗拐子，打断过邻居胳膊的吴三愣子，在街上理发店给男人洗头的美兰，全部进过派出所，出去以后名声就臭了。

一个年轻的警察斜倚在沙发上睡觉，听见响动，头都没抬，漫不经心地问，有事吗？

她不知如何开口，歪着脑袋使劲想了一下突然脱口说，我要报案。

年轻民警终于抬起头来，上下打量了她一眼，然后站起来，伸了个懒腰，将自己放倒在一把椅子上。他随手从桌子上抓起一支笔，用笔杆指了指对面的一把椅子，示意她坐过去。

她刚坐稳身子，他就问，姓名？

俺不想留名字，可以吗？她笑了笑，脸红得像红绸布。

他翻了她一眼，嚷道，那怎么可以？快说，什么名字？

她站起来，往外走，边走边嘟囔，俺家的牛还拴在村口呢，俺孩晌午放学还要吃饭呢，俺不能再等了。说着，她又扭回身子，把一个包袱扔在桌子上。

你站住！年轻警察发火了，厉声地吼。

她愣在院子里，手足无措地站住了。

里屋走出来一位中年警察，问年轻警察，怎么回事？

年轻警察用笔杆指指院子里站着的她，鄙夷地说，乡下妇女，没文化，不配合。

中年警察皱了一下眉头，疾步走到院子里，对她说，大嫂，你好，请问有什么可以帮你的吗？

她两边脸蛋上各飘荡着一朵红云，急急地说，大兄弟，俺真的不能再耽搁了，牛挣断绳子要害庄稼的，再说，俺家石头怕是早饿了。

中年警察说，大嫂，既然来了，就一定把事情说清楚，耽误不了多长时间。咱们聊完了，我可以骑摩托车送你回去。

她平静下来，脸上的红云色泽渐淡，低着头说，其实没啥好说的，俺早晨出来放牛，在路边拣到一个包袱，里面有衣服有钱。俺就抱着包袱在路边等，等了一上午，路上来来回回的人不少，没有一个是回来找包袱的。俺寻思不能总等着，就给你们送来了。

哦，是这样啊！中年警察说，那更得麻烦你回去一下，起码咱们得一起点点钱吧？

她跟在中年警察的身后进了办公室。年轻警察昂着头，眼睛瞪着天花板，手上的那支笔在几个手指间一刻不停地转动。看着他那张稚气未脱的脸，她有些忍俊不禁，想笑，又憋了回去。很明显，他被她气着了。

中年警察让她坐下，当面把包袱打开，里面有几件衣服，有一沓百元大钞，有一些零碎。中年警察说，小毛，赶紧把钱点点，别出错。

年轻警察扔掉笔，一把抓过包袱的一角，拖到自己旁边。一件米黄色的T恤衫滑落到了包袱外面。中年警察瞪了一眼，他赶紧站起来，把包袱拢起来。

中年警察问，大嫂，你查过了吗？总共多少钱？

她怕烫似的摆摆手，连声否认，不，不，我可没动钱。

中年警察笑了，不是这个意思，我是想知道你清点的钱数是不是和我们一致。

她松了一口气，哦了一声。

年轻警察很快把钱点完，报了个数，3528元。

中年警察埋头在本子上写了一气，写完了，对她笑笑，大嫂，请你配合一下我们的工作，请教你的大名？

她扭捏了一下，我叫黄树芹。

大嫂哪个村的啊？

黄泥湾的。

大嫂会写字吗？还得麻烦你签个名。

她脸红了，像涂上了胭脂，绞扭着双手说，俺只上过三年学，就下学了，快四十年没有摸过笔了。

那就按个指纹吧。

中年警察打开一盒红色印泥，让她用大拇指在印泥上按一下，又在本子上按一下。他正准备抽张纸给她擦手，她自己已经用另一只手在擦，结果两只手都红得一塌糊涂。

现在我可以走了吗？

我去开摩托车，送送你。我代表失主感谢你啊，大嫂。

不用，不用，她边摆手边跑，不知是说不用谢还是不用送。

等中年警察推车出来，已经不见了她的踪影。他只好把摩托车推回车棚。刚停好，一转身，发现她就站在他身后。

大兄弟，能借我一块钱吗？她气喘吁吁地问。

怎么了，大嫂？他有些诧异。

我一晌午没喝水，刚才又跑这么远的山路，嗓子干得冒烟，想买瓶水喝，兜里没带钱。她脸上又透出红霞。

中年警察有点想流泪。他在基层派出所工作几十年，什么人没见过？但是这个叫做黄树芹的动不动就红脸的乡下大嫂还是让他感动。

大嫂，你等着。中年警察飞奔出去，转眼提回来一包东西：一瓶矿泉水，一袋面包，两包方便面，五根火腿肠。

他把袋子递到大嫂手上，对大嫂说，咱们马上走，还不耽误孩子吃晌午饭。

# 一支烟的时间

〇张玉玲

夏若终于还是去找白老板了。

坐在白老板宽大的办公室里，夏若才感觉到了自己的心慌，她突然发现，自己竟然不知道下一步应该如何进行了。但白老板却是明白一切的。白老板点了一支烟，用温和却冷静的目光审视着坐在他面前，微微低着头，似乎在努力平静心绪的夏若。他缓缓地问："你应该早就明白我对你的心意了，你今天来，是要给我一个惊喜的，对吗?"夏若轻轻咬着唇，低着头，没有回答。半天后，白老板终于很不情愿地问："恕我直言，难道，你今天，就是为了你妹妹来找我的?"夏若略有些惊讶地抬起头，看一眼白老板，轻轻点下头："是的，我想，只有您可以帮助她。"白老板把目光转向窗外，果然如他所料。一支烟已经燃去一小半，白老板把那半支烟摁灭在面前的烟灰缸里，然后看着夏若问："难道为了你妹妹，你什么都可以做吗?"夏若皱了下眉，回答这个问题对于她来说似乎有些艰难："我不知道，我只知道她现在很需要我，和她一起毕业的那些大学生，很多人都有家长安排好了工作等着，可是她呢?她什么都没有，她只有自己的画，只有我这个姐姐，能帮她的人只有我，而我却发现自己竟然无能为力，连一个画展都没有能力为她筹备。"

白老板从办公桌后站起来，走到窗前打开窗户，再次点燃一支香烟，深深地吸了一口，眼睛看着窗外接着说："那你呢?你考虑过自己吗?难道，你只是为了她而活着吗？”夏若轻轻叹一口气，再次沉默着。白老板把手伸过去，对着窗台上的水晶烟灰缸弹了一下烟灰，眼睛继续看着窗外。形形色色的女人从他的脑海中经过，但夏若是一个特例。从她第一天来公司上班时，被她那种冷冷的执著打动，到后来又被她冷冷的漠视吸引，直到刚刚，又被她举棋不定的徘徊感动。开始时，他也只是像对所有漂亮女人怀着一份猎艳的好奇心一样，对她怀一份好奇。只要愿意，在他这里没有女人可以逃得过去。但夏若却一直在状态外，于是他调查了她的一切，他才发现自己有些小看她了。她曾经拒绝了一笔学费，然后亲手藏起了一所著名音乐学院的录取通知书。她一次次拒绝了周围很多人提供给她的帮助，只想心安理得地过自己安静的生活。但是今天为了妹妹，她却还是走进了他的办公室。

白老板再次弹了弹烟灰，回过头看着夏若，说：“其实如果换一种思维方式，你已经为她做了很多了，让她上了大学，让她衣食无忧，这一切，你都是在放弃了自己学业的基础上来成全她的。而你只不过仅仅比她大了两岁，反而是她自己不够努力，把自己寄生在你身上。”

听到后面那些话，坐在沙发上的夏若看向白老板，目光中有种不容侵犯的凛然：“对不起，白老板，我不喜欢听到有人这样说她。”白老板依然看着窗外。夏若轻轻叹了一口气说：“在我来找您之前，以及坐在这里的整个过程中，我都不能确定我所做的一切是不是应该的，但现在我有点明白了，我是不应该来找您，有很多事情是命中注定，如果非要强求，也只能是自取其辱。”说着，夏若站了起来：“但我还是谢谢白老板，让我明白了这个道理，再见！”说完夏若就要走出去，却被白老板拦住了：“请留步，我的话还没有说完，也许我可以帮她的，只是……”站在门边的夏若打断了白老板的话：“对不起，白老板，请别再往下说，我已经感到羞愧难当了，再见！”

夏若走出去后，白老板站在窗前愣了半天。随即脸上露出了一丝欣慰的笑容，他轻轻地摇摇头在心里叹道，果然是好样的，她终于还是选择了做好她自己，在这样的生活面前能坚守到如此，他白华林见过的也只有她一个。

于是，白老板再次摁灭手里的半支烟，走到办公桌前拿起电话，打给了他一个在书画界做评论的朋友。他决定帮帮那个叫夏雨的女学生，因为她有个叫夏若的姐姐，因为夏若让他在两个半支烟的过程中，看到了一道风景，那道风景单纯地只为了美好而美丽着。

# 英雄论

〇易　凡

严寒降临了，风冷冷地吹，余明打了个寒战，起身将半开着的车窗关好，刚一屁股坐下，就拥上来一车人，把过道也塞满了。

这时，一个老人被挤到余明身前，老人喘着粗气，一脸难受的样子。

余明忙起身把座位让给了老人。

老人很感激，笑着对余明说，谢谢你，年轻人！

余明抓紧吊杆，站稳脚跟，也对老人笑笑，说，老人家，不用谢！

老人望着余明的目光，一下凝固在了余明的脸上，片刻，老人说，年轻人，我认得你。

余明很诧异，细看老人，却并不认识他。

老人有点激动了，说，你真的不认得我了，你想想，我俩有过一面之交啊！余明头脑里快速搜索，茫然地摇摇头，脸红了，不好意思起来，他确实记不起面前这位老人是谁了。

老人有点失望，低下头，嘀咕一句：我俩争论得那么凶，你怎么竟忘了？

听了这话，余明头脑里一闪，一个倔强老人的形象清晰起来。

那次，两个多月前的一天，在政法委召开的关于英雄吴正龙的研讨会上，参会人员形成了正反两种观点：正方观点，认为吴正龙的牺牲，是正义凛然，不畏强敌，勇于献身的结果，是值得的。而反方观点，认为吴正龙牺牲了，是英雄，却牺牲得不值。理由是吴正龙在明知寡不敌众，面对众多歹徒的情况下，不讲斗争策略，不求战友增援，盲然冒进，结果造成了无畏牺牲。

会上，老人持正方观点。余明持反方观点。持两种不同观点的人，争执得异常激烈，互不相让。旁人听来，好像说得都有道理。老人与余明成了两种不同观点的一对代表人物，会议不欢而散，在会议室外的过道里，余明还与老人边走边在据理力辩，谁也说服不了谁。

事后，余明知道老人原是司法局的退休老同志，长期从事司法实践和研究工作，是法律界的常青树。平心而论，余明不是不尊重老同志，而是在研讨英雄吴正龙该不该牺牲？牺牲得值不值的问题上，与老同志持不同看法而已。与老人争执，也是不得已的事。或许这是自己在公安局办公室待久了，养成了按程序办事，得理不饶人的缘故吧。

余明忙低下身去与老人握手，嘴上连连向老人道歉，对不起！对不起！一时没有认出您老人家！

老人大度地挥挥手，说，年轻人，我可是一直记着你哟！你给我的印象太深了。争论后，我回到家里，还一直想着这事，换位思考，觉得你说的也不无道理，可我总觉得你的观点有点不对劲。要我说哪里不对劲，我一时也说不清楚。

余明一阵尴尬，心想，老人莫不是在这公交车上，还要与自己继续争论下去吧？

这时，司机点了个急刹车，弄得车上的人东倒西歪，好一阵骚动。有人骂骂咧咧，司机紧张地大喊一声，好危险，一个小娃儿横穿马路！

车子启动，吵闹声平息了。

忽然，车内一声喊，我的钱包不见了！

余明扭头看，一个胖嫂哭出声来。胖嫂身边围着几个打扮稀奇古怪的小青年，对胖嫂的哭喊无动于衷。

胖嫂哭喊着，行行好呀！哪个人拿了我的钱包，请快快还给我，这钱是送去医院给我女儿动手术的救命钱呀！

几个小青年喊司机停车，他们要在这儿下车。车上的人心里明白：钱包是这几个小青年扒窃了，他们想下车溜之大吉。

司机在犹豫，停不停车？

蓦然，一个洪亮的声音响起：司机同志，不能停车！把车开到附近的派出所去！

声音发自余明身边的老人。余明附和老人说，对！一直开到派出所去！

小青年中的光头，拔出尖刀，举起晃着，喊道：停，也得停！不停，也得停！除非，不想活了！

车上的人，都哑然了。胖嫂也吓得停止了哭泣。

司机无奈地打开车门。几个小青年嘴里骂着得意地往车门口挤去。

这时，谁也没有想到的是，老人起身几步跨到车门口，张开手臂拦在几个小青年面前，大喊，你们不能走，必须到派出所去！司机，关门！

车门很快关上了。

此时，光头怪叫一声，举着尖刀扑向老人。

千钧一发之际，呆立着的余明，猛然一震，扑过去，用身子挡在老人面前……鲜血从余明的胸口涌了出来，全车人的义愤终于爆发了，齐声吼，吓呆了几个小青年。

余明被送进了医院，经过抢救，脱离了生命危险。当他醒来的第一眼，就见老人噙着热泪，紧紧握着余明的手，嘶哑地说，欢迎英雄归来！

记者采访余明时，问，你明明知道有生命危险，你还义无反顾地扑了上去，你当时是怎么想的？

余明干脆地回答：当时没有时间去想，靠的是正义的本能！

# 原路返回

〇傅彩霞

周日，清晨。初春的阳光暧昧地抚摸着人间万物，人变得柔顺而惬意。

黎菁与女儿两人在家。黎菁一边打扫除，一边在心里上下左右地打着小九九，盘算着明天是按揭还贷的日子。放下手中的拖把，去书房找出存款单，这个月工资又拖欠了，只好动用“国库粮”，定期存款单还差10天到期，不能因小失大，无奈地暗自摇摇头，还贷不等人，忍痛割爱。当房奴犹如头上的紧箍咒，时间一到就开始隐隐作痛。上中学的女儿做完作业便大功告成一般，一会儿溜达到客厅喝口水，一会儿又摸起水果，一副我行我素、心不在焉的样子。

唉，孩子什么时候才能养成自主学习的好习惯？黎菁用尽了千条万缕的心思，见效甚微。她狠狠地剜了女儿一眼，女儿知趣地如缩头乌龟，乖乖地退回自己的房间里，重新坐在了写字台前，不情愿地拿起了英语书。黎菁觉得，如今，大人们是孩奴、房奴、卡奴，孩子们是书奴、考奴、题奴，即使骄傲的成功人士也是钱奴、权奴、事奴。好像每个人身上都被奴性绑架，仿佛一只只不停旋转的陀螺。休闲是遥远时尚的奢侈品。

14岁的少女正是怀春动心的季节，不一会儿女儿又走出房间，顺便盯着客厅的美容镜做了个鬼脸。黎菁一阵恼火怒喝道：“睿琪，还不赶快看书学习，现在竞争这么激烈，这么残酷，还臭美什么？”“照照镜子也不行，哼！”女儿小声嘟囔着，微微上翘的小嘴撅得能拴头小犟驴。睿琪被妈妈的严厉声重重地按在椅子上，背诵那没完没了的硬邦邦的英语单词。青春期遭遇更年期真是要人命的事情。

算计好本月的按揭款，黎菁摘下碎花围裙，对女儿说：“睿琪，你在家学习，我去趟银行。”一转身，出门下了三楼。刚走出小区门口，习惯性地猛然一摸口袋，钥匙忘带。女儿在家，不拿也罢。

银行人满为患。取号，排队，耐心等待。终于办理完毕。

回家，按门铃，久久地无人回应。心生困惑。打家里的固话，在门外只听到悦耳的电话铃声，依旧无人接听。迷惑层层。头上的汗细细地渗出黎菁洁白光滑的额头，捋捋垂下的长发，定神仔细回想一下，自己走时，女儿并没有什么异常呀？这死丫头，究竟上了哪儿？不省心的主儿！黎菁在门外，一遍一遍地叫着“睿琪，睿琪”！又唯恐左邻右舍笑话，以为夫妻吵架，进不了家门。于是，又压低声音一遍遍唤睿琪的乳名——“琪琪，琪琪……”侧身贴耳朵靠近防盗门，室内一点动静都没有，黎菁恨不得把耳朵穿透铁壁，奇怪了？会不会饿了，做饭不小心煤气中毒？这个念头一旦从心里头跳出来，就如疯狂的火山爆发怎么也遏制不住了。

黎菁步履如飞地走到小区保安处门口，探头问：“潘师傅，刚才看到我女儿出去了吗？”

“没看见呀。她每次走到这儿都会微笑着打招呼的。”

黎菁拿出手机，给在单位值班的爱人打电话。

“睿琪给你打电话了吗？”

“没有呀，怎么了？”爱人被黎菁无厘头的电话弄得一头雾水。

“我刚上了趟银行，没带钥匙，结果敲不开门，进不去了，这孩子跑到哪儿去？”

“你再等等，可能睿琪没听到吧？”男人的心总是比海洋还宽广。

“我到你单位拿钥匙吧！”瞬间，黎菁做了一个英明决定。

出租车如一匹脱缰的野马，风驰电掣地穿行在车来车往的公路上。

“师傅，快点，再快点！”黎菁按捺不住火急火燎的情绪。

“再快就成宇宙飞船了。红灯必须停。”少白头的出租车司机大概司空见惯了眉毛胡子一把抓的乘客。

黎菁不愿与出租车司机多费口舌，她想象着女儿一定是煤气中毒了。她一遍又一遍地在心里祈祷，只要女儿没事，什么都可以妥协，什么都无所谓，什么学习成绩的好坏，什么兴趣班的培训，统统放下，只要她快乐，她愿用一切作为交换的条件。

“你到马路对面等我。再有三分钟到你单位。”黎菁命令爱人。

不一会儿，黎菁的手机再次响起。电话显示为“我的家”。

“喂，喂……”黎菁急切地问。

“妈妈，你怎么还不回家?”手机内传来女儿稚嫩的声音。

“睿琪，你没事吧？可急死我了！怎么敲不开门?”

“我刚才在洗澡，没有听到呀!”

“你洗什么澡呀，英语单词背完了？洗澡比学习重要?”女儿在电话那头无声无语。

“司机师傅，麻烦您调头，原路返回。”黎菁挺直的腰板一下子陷在车座里，奴性又在她身上发作了。

# 择　邻

○聂鑫森

冯小梅和金大川，都在光明机械厂工作。女儿贝贝10岁了，正念四年级，又聪明又活泼，不但成绩好，而且会弹钢琴。为培养贝贝，两口子可是下了血本。唯一遗憾就是房子太小，一室一厅，加上家具、钢琴、洗衣机之类的东西，简直再没有多余的空间。

这些年来，机械厂闹得很火红，业务繁忙，效益猛增，干部、工人的工资都在3000元上下。于是，他们对原先的居住条件不满意了。厂领导决定，在离宿舍区不远的一个刚建成的社区里，先由公家垫付资金购下A、B、C三幢住宅楼，每家只需先预付5万元，其余的在每月工资中慢慢扣除。三室一厅、两室一厅，自个儿选定，而且可以互相挑选邻居，真是“以人为本”啊。

冯小梅是个车工，金大川在厂部技术设计室工作。家里的事，冯小梅说了算，是名副其实的“一言堂”。冯小梅在车工一班，人缘关系好，不但干活风风火火，而且肯帮助人，大家都很喜欢她，都想和她做邻居。

A、B、C三幢楼，每幢楼六层、三个单元，每个单元的每一层住两户人家。

车工一班，正好十二个人，代表着十二个家庭。大家一合计，都住A楼的第二个单元（又称之为“中门”）吧，出进一对大铁门，上上下下为邻居，多好。

冯小梅说：“我选六楼的601室吧。”

大家很感动，这不是电梯房，她选取六楼是一种谦让。

与她车床挨车床的顾小兰，立刻说：“我向小梅姐学习，住602室！”马贵芳说：“我得当个最近的邻居，501室。”刘秀珍马上接上话：“那我就502室，没人跟我抢吧？”12套房子尘埃落定，各有其主了。立刻有人掏出手机，向厂部的“分房办”申报了情况。

晚上，冯小梅向丈夫一说，金大川什么意见也没有，只是强调说：“你得仔细想想她们家的各方面情况。当年孟母择邻，为的是有个好环境，第一是有利于孩子的成长，第二是有利于我们的休息。”

冯小梅说：“对。”

将与她家打隔壁的是顾小兰，丈夫是设摊卖服装的小商人，孩子放到奶奶家去了。可这小两口，喜欢串门。一开口就是名牌服装和钱。女儿贝贝听多了，岂不会受影响？

马贵芳住501室，是个急性子，敢吼敢叫；丈夫是厂里的搬运工，说话不但粗痞，而且嗓门大。这一对夫妇，动不动就吵架，还砸锅摔碗。在这一派噪音中，贝贝怎么能静下心来做作业、弹钢琴？他们的休息也会成问题。

502室是刘秀珍，55岁了，在车工一班做勤杂工，无非是扫扫地、领领防护用品，很轻闲。老头子是市里卫生局的退休干部，老是把人邀到家里来打麻将，弄得他原先的邻居怨声载道。

将成为冯小梅邻居的其余人家，她一一反复思量、比较，都有这样或那样的不尽如人意处。

她把这些情况和金大川一说，金大川把手一挥，果断地作出决定：“另选一套房子！”

冯小梅说：“那我就得罪人了，往后怎么在车工一班做人？”

金大川笑了：“你把责任往我身上一推，说我不同意住这里，恶人让我来当。”

“假如，她们又要跟着我一起选房呢?”

“你傻呀，先不要声张。我去悄悄打个招呼，选一套 B 楼或 C 楼六层上的房子。等到出榜时，一切都成了定局，她们想换也来不及了。然后，你就说是我暗地里做的手脚，当着你的姐妹，还可以狠狠地骂我。”

冯小梅笑得差点岔了气，连连说：“老奸巨猾，我得重新考察你了!”

一切都在有序地进行着。

冯小梅一家搬进了 B 楼的 601 室。两个大人和女儿贝贝各一间卧房，钢琴和书柜、书桌占一间房，还有一个客厅、一个厨房、一个卫生间。这日子，又宽绰，又明亮!

车工一班的人，没能和冯小梅做邻居，虽有些遗憾，却并不生气，大家依旧亲亲热热的。偶尔也有人开玩笑，问她：“小梅，这回你先生吃豹子胆了，敢否定你的圣旨?”

“什么事他都听话，这一回他却咬死一条筋不放，我也只好让了他，男人要面子哩。”“假如，半夜三更，他要和你做那件美丽的事呢?”

“去他的！一脚把他蹬下床去!”

大家一齐哄笑起来。

三天后的第一个晚上，暮色四合，华灯灿烂。

晚饭吃完了，家务也忙完了。贝贝关上书房的门做作业了。冯小梅和金大川，坐在客厅里看电视，声音拧得很小。

突然，他们家的大门被擂得“咚咚”直响，接着便传来苍老的歇斯底里的狂叫声。

金大川起身欲去开门，看看到底发生了什么事。

门外有另外一个女人的声音响起：“别开门！别开门!”

金大川忙退回来，坐到沙发上去。

贝贝吓得一张脸惨白，从房里奔出来，挤坐到父母的中间，全身发抖。

接着，听见那家又出来两个人，把乱喊乱叫的人“架”了回去，而后是那家的门“砰”地关紧。

那个人还在自家的客厅里喊叫，声音穿墙破壁而来。半个小时后，才趋于平静。

“隔壁住的是谁？大川，你打听了吗？”

“看名字都是生疏的，所以没打听。”

“明天你得去问问，可别是个疯子。”

“好。”

第二天，金大川从人事处把情况探明了。是个早退了休的工程师，“文革”中批斗遭受了刺激，患了间歇性精神病，隔三差五地会发作。

这日子还长着哩，居然碰上了这样一个邻居！

幸而那套旧房子还留着。

是坚定不移地留住这里，还是搬回去？两难呀！

冯小梅说：“人熟了，反而总看见别人的缺点，想避得远远的。这是什么毛病？”

金大川蔫着头，什么话也不说，只是一个劲地叹气。

# 爱心无尘

〇孙春平

印度洋发生了大海啸，学校要求各个班级召开“爱心和灾区小朋友在一起”主题班会。

那天，同学们吃完午饭返回学校不久，三年一班就发生了一起躁乱。王小倩同学的钱丢了，又急又恨，伏在桌上哭。两个大个子的男同学堵在教室的门口，要求所有人都把身上的钱亮出来，然后再挨个搜身。有同学不同意，说这是侵犯人权，你又不是警察，就是警察，搜身也得先出示证件，你有证件吗？

教室里乱乱哄哄，班主任姚老师闻讯赶来，往黑板前一站，同学们便安静下来。姚老师说，王小倩，你先说说，是怎么回事？王小倩抹着眼睛说，她午间向妈妈要了20元钱，准备开班会时献给外国受灾的小朋友，钱一直塞在手套里。到了学校后，她将手套放在书桌上，然后跟同学们去操场跳绳，可回来时，钱已经没有了。

姚老师温和的目光扫过几十双黑亮的眼睛，平静地笑了，说原来是这样，那你不要急，一定是哪个同学怕你的钱丢掉，替你保管起来了。姚老师说着，拉开讲桌的抽屉，拿出一只崭新的练习本，先将装书钉拆解开，又对面一裁，练习本便变成了几十页白纸片。姚老师说，今天的班会议程小做一下变动，先请每个同学从我这里拿去一片纸，在上面写好你要说给灾区小朋友的话，一句也好，一段也好，但一定要是心里话。所以，我要求，每个同学拿去纸片后，不要互相抄写，也不许互相观看，而是各自走出教室，找个地方，背对背，写完后折叠好，投进我们的赞助箱。有一点要求，不管写了什么，都不要留下姓名。哦对了，赞助款请同学们都不要投进箱里，你只要在纸片片上注明赞助数字就行了，明天上学后，大家再交给班长。大家听明白了吗？

同学们齐声答，听明白了。

姚老师说，那就开始吧。时间是十分钟，要抓紧，然后请大家回来将折叠好的纸片投进赞助箱。

几十只小鸽子飞起来，每人从老师面前衔走一张纸片片，旋出教室去。小鸽子很快又飞回来，各自将折叠好的纸片片郑重地送进了赞助箱。姚老师掀开箱盖，伸进手在里面摸，很快取出一张，打开，展露在同学们面前的竟是一张20元钱的票子。

姚老师将这张票子送到王小倩的面前，高兴地说，大家看，小倩同学的钱不是自己回来了吗？让我们听听这位同学还写了什么。“老师，我错了，我再不会让我的爱心沾染一丝灰尘！”听到了吧，这位同学写得多好！

教室里响起了掌声，热烈而持久。

掌声中，姚老师将那张纸片撕扯成碎片，托在掌心，再对大家说，这是什么？这是雪花，寄托着纯洁爱心的雪花。现在，我要将这雪花回归爱的河流，再让她随波而去，流向爱的大海，大家说是吗？

掌声再次响起。那一刻，小同学们的眼睛显得格外明亮。

# 保　安

〇邓洪卫

老吴在银行做保安。

银行的保安有好几种。一种押运保安，都是二十来岁的小伙子，荷枪实弹，顶盔挂甲，运钞车周围摆开架势，威风凛凛。一种是营业厅保安。提着警棍，在大厅里晃来晃去，也很好。还有一种，就是门卫。进出银行大楼，都得到这儿登记一下。进出银行的人多且杂，有时真分不清谁是楼里的谁是楼外的，一不小心，误放进一个外边的人，还真有点麻烦。晚上，还得值班。晚上值班，一步也不能走，更不能睡觉。保安公司经常下来检查，遇到睡觉的，立马卷铺盖走人。

老吴就是看银行大楼的。

我有空的时候，常到值班室坐坐。一是取报纸信件，二是拿稿费。作家嘛，发不了大财，小钱总是有点的。虽然，在很多人眼里毛都不抵，但，对于我等凡人，有总比没有好。

你太牛了，稳稳地拿着工资，还有这份外快。老吴说。

他觉得这份钱来得太轻松了，却哪里知道，我在电脑前七拼八凑的痛苦劲儿。

老吴除了保安，也有一份外快，那就是踏电动三轮带客。这个活儿也不轻松，风里来雨里去的，还得躲着交警。但每天也能踏个三五十的。

没办法，得活人啊。上有老下有小，得养活啊。老吴说。

老吴两口子本来都是工人。有一阵子单位效益还不错，广告上说，产品远销美国、东南亚。可就像放炮仗一样，“咚”地响了这么一下子，就没动静了。老吴本来可以不下岗的。但老吴心直口快，跟总经理拎了一下子。总经理一怒之下，让老吴下岗了。老吴的老婆也可不下岗的，但，跑去骂了总经理，也下来了。

这样，两口子都没了工作。几经周折，老吴做了保安，老婆帮着医院里的病人洗洗衣服，贴补贴补家用。

这时，儿子也大了。没念多少书，初中毕业就回家了。当然，书“没白念”——在学校里就谈了一个女朋友。两个年轻人开了一个小吃部，干得挺欢实，不久，结婚了，结婚不到三个月，生了个大胖小子。

老吴的老婆就不再去医院了，干脆在家里带孙子，当然，还得服侍七十多岁的婆婆。

四世同堂，挺好。

老吴有两个兄弟。一个哥，一个弟。哥做生意，越做越大，火得不得了，能管厂里百十号人吃喝。弟弟在政府做公务员，是个科级干部，手下管着十来号人，日子过得也很舒坦。可是，这对老吴的生活有什么影响呢？老娘还得靠他这个混得最清苦的儿子来养。那活得滋润的一哥一弟从不傍边。

一娘生九等，花开十样红。哪个有哪个好，没有的就按没有的日子过。老吴很豁达。

一天下班，老吴拦住我说，作家，求你个事好吗？

我说，什么事啊？只要我能帮忙的，尽力做呗。

老吴说，一年又到头了，公司让写个总结。队长透露，有意评我当先进。我小学毕业，字都认不全啊，寻思着请你帮个忙，编两句。

我说，可以，你得讲讲你的闪光点啊。

他说，看大门，有啥闪光点。

我说，没有也得找哇。

他唆唆说了一些，都是日常工作。我说，不行，还得找一找闪光点。

他说，有了。那天，我踏三轮，拖着一个姑娘。她让把她拉到登瀛桥去，我就把她拉去了。到了那里，姑娘下了车。姑娘给我 100 块钱，说不用找了。我觉得不对劲，就躲在暗处看。就见那姑娘在桥上站了一会儿，突然，跃过栏杆，跳下去了。我赶紧冲过去，跳下去，把她救了上来，送到医院。从姑娘的手机里找到个号码，打通了，说了情况，然后我偷偷地溜了。

我说，敢情报纸登的《三轮车夫勇救失恋女》，就是你呀，那姑娘的父亲是老板，重金悬赏救他女儿的人哪。

他说，你千万保密——要不是今天被你逼得没办法，我可不说。

我说，可这不能写进总结呀，因为，这不是你做保安职责范围内的事啊。

他说，就是嘛，我就是这么一说，别传出去呀。我再给你说个事啊。今年 9 月，我值晚班，赶巧我一个最好的朋友请我喝酒，我就让我儿子来帮我值一会儿班。就在我喝完酒，往班上赶，路过自动取款机的时候，突然看到两个年轻人架着一个取款的中年男人。我过去一声大喝，那两个年轻人逃走了。那个中年男人拉着我的手说，太谢谢你了！那两个家伙围过来抢劫我，幸亏你来了，不然，我就完了。

我说，这事我知道啊——那中年男人是某公司老总，掏钱感谢你，你说啥也不要，跑了。

他说，说的就是我呀。

我说，这也不好写啊。那天，你私自离岗，跟朋友出去喝酒，细究起来，怕还要追究你的责任呢。

他想了想说，那就算了，再也找不到什么闪光点了。

我还是想办法帮他写了一份总结，说他怎样努力学习业务、恪尽职守、服务规范、深受银行员工好评。当然，很多是虚构的。

我觉得我写得不错。可是，他最终没评上先进。

我说，不好意思，我总结没写好。

他笑笑，说，不赖总结的事。我听说队长跟每个人都放过报先进的风。关键是总结之外的功夫，按你们作家的话来说，叫功夫在诗外。

他这一句话，把我给逗乐了。

# 本　色

○安　庆

那年卢放在B市打工。

一天傍晚他坐车走到郊区的一个村庄，他想在这里找一处房子住，晚上回来可以静一静，让疲惫的身心好好地歇下来。他不想再住在城里那座打工族的楼上，太吵，打工族的喝酒声，打工男女用来放松的戏谑声，整夜不肯停歇的叫卖声，使他几乎没有睡熟过。从城市的窗口望出去，月亮就像是一个道具，一点儿也没有乡村月亮的那种感觉，那种温暖。

他漫无目的地顺着那个村庄走，他看见了树，听见了树叶落地的声音，竟然还听见了鸟叫声。看到了几步之外的田野，嗅到了那种刚钻出地表的麦芽儿的味道。“就在这儿了。”他对自己说。

第二天，他真的在这儿住下了。是一处小房子，孤独的小房子，围着小房子的是一道短短矮矮的围墙。住在小屋的第一个夜晚，他一直坐在窗口，望着家乡的方向。他在那个村庄已经是一个孤独的人，父亲和母亲已在两年前相继离世，那个曾和他挽过手的女同学已经投进了一个有钱人的怀里。

那个人走进小屋是半月后的一个晚上。

那个人敲门时他正在看一本书，门被固执地敲了很久。他看见了他，方脸盘，很有耐心地站在门口。那个人说他是看见屋子里有了灯光才过来的，这个院子好长时间没有人住了。

后来他知道了那个人是这个村的村主任。村主任有每天在村里转一转的习惯，而且每天都要到村外的田野里站一站。他说怕将来这个村庄消失了，就看不到传统的村庄了，听不见鸟儿的叫声，闻不到地里的野气了。

村主任的话使他很感动。

冬天了。

村主任又在一天夜里来敲他的门，村主任在他的屋里打了个寒战。村主任说："没一点儿火气呀?"他说："没有，夜里就在这儿困一觉，几个小时将就着就过了。"

几天后，村主任掂过来一件电褥子，说："用吧，最冷的时候暖暖身，再年轻，也需要点儿火气，你看这屋，太冷了。"

从这个冬天，他开始用电热毯。

可这个春节，他狼狈极了，他孤零零地站在小屋的窗前，那个包工头像鸟儿一样飞了，一秋一冬的光阴白白地撂了。泪都流不出来了。

村主任又站在了他的面前，村主任说："孩子。"村主任叫他孩子。村主任说："村部有一堆废铁你把它卖了吧，过年了，手里有钱踏实。"

他借了辆架子车。

那堆铁竟然卖了 2000 块。

他手攥着 2000 块钱，泪从心底往上翻。

他攥钱去了商场。他想买点儿年货，买一挂鞭炮崩崩一年的晦气。他在商场里踟蹰着，那些年货让他眼花。

他看到了电视，正变换着画面的彩电，红红绿绿的人儿在画面里说闹或者唱歌。那时候彩电开始占据农村市场。

他用钱买了一台彩电。他把彩电抱到了村主任家，村主任愣愣地看着他。他说："老主任，我不知道这堆废铁的钱到底该怎样处理，但我不能花这笔钱，我的心在催我这样办。"说着他的泪淌出来。他看到了村主任惊异欣赏的目光。

后来那台彩电被放到了村部。

除夕夜他放了一挂长长的鞭炮。

那堆废铁给了他启示，他开始收购废品。他不再去给那些摸不透品性的老板打工，一辆架子车走南闯北，他干得很快活、很勤奋。

这年夏天，村主任又来敲他的门，村主任让他进村里的工艺厂。其实，厂里的工资不会有他沿街收废品挣的钱多，但卢放一口答应了。

卢放不知道他从此就走上了一条干事业的路。

卢放在工艺厂干得很踏实，技术越来越精。三年时间就当上了工艺厂的厂长，再几年下来，他成了远近闻名的人物。

城市向外延伸，小村一步步被抱进城市的怀里。村主任的头发已逐渐染白，这时候卢放已经成为一个孩子的父亲。城市的延伸总会给人带来机遇，卢放的事儿越干越大，卢放管理的工艺厂越做越好，生产的工艺品卖到了县里、市里，甚至省外。年底，卢放被评为了市十大优秀青年……

可是，卢放的院子里仍放着当年收废品的架子车。

他冬天睡觉还是喜欢用电热毯。静下来的时候他还是喜欢去闻野外的地气。

# 乘 客

〇刘永飞

暗夜。小站。刺骨的寒风。小站上除了昏黄的摇曳着的路灯光晕以及一蓝一红两辆电瓶三轮车，再无其他。

最后一班公交车驶来，丢下一位乘客哆嗦着跑了。乘客打个寒战，慌忙扣紧所有的衣扣。

师傅，去东塘不？

去。

多少钱？

七块。

太贵了吧，朋友说才四块呢。

那是平常，再说有八里路呢。

能便宜不？

不能。

乘客有些不满，他顶着风走到红色三轮车前。

师傅，到东塘多少钱？

五块。

能少不？

你给四块吧。

车子被黑暗挟裹着“吱吱呀呀”在土路上颠簸，乘客心满意足，因为他的聪明，识破了一个阴谋。他反感第一个车夫那种自以为是的态度。

车子东拐西拐，三轮车像个摇椅，弄得乘客心烦意乱。

第一次来东塘吧？

是啊，要知道是这么个鬼地方，打死也不会来。

嘿嘿，这地方房租便宜。

远处终于现出一片灯光，车子停下来。

到了，前面亮灯的地方就是。

咋不走了？

那地方有联防队，他们抓。

不是八里路吗？这么快。

他说十里你信不？

乘客付钱时只掏了三块，说没送到地方。车夫顿了一下，摇摇头骑着三轮车咿咿呀呀地走了。

乘客裹紧了衣领，大踏步朝灯光走去。近了，发现灯光是从一家大门紧闭的院子里发出来的，伴随发出的还有浓烈的粪便味儿，原来这是个养猪场。乘客捏着鼻子，敲门。半天，一个睡眼惺忪的男人开了门。

师傅，这里是东塘不？

东塘？还有六里地呢。

啊？乘客大吃一惊。男人转身关门，被乘客叫住。

那，我怎么才能找到东塘呢？

前方100米右拐，再直走一里路，有个公交车站，看看还有没有出租车，他们是可以送到的。

男人说完打着哈欠关了门。乘客看看往东塘的方向是遥遥无期的黑暗，骂骂咧咧按男人指示的方向前进。他很快又回到了起点，这才发现刚才三轮车司机驮着他兜了大半个圈子。妈的，不得好死。先前的出租车还在，那人在寒风里不断地缩头搓手，仿佛已顶不住寒风的折磨。乘客有些胆怯地走到跟前。司机见来了客人，眼睛里冒出光，表情也明显活泛了许多。

师傅，去东塘不？

去。

多少钱？

七块。

车子被黑暗挟裹着“吱吱呀呀”在土路上颠簸，乘客垂头丧气。其实他不是缺钱的那种人，只是他恶心那个为了三块钱出卖良心的人。

半个小时后，车子终于来到东塘，乘客还没下车，一个男人急急地奔过来，问怎么这么慢，还以为不来了呢。乘客没言语，默默地付了钱。车夫如释重负般欲驾车离去。乘客突然想起什么似的叫住他。

有事？

我就是想问一下，本来那是最后一班车了，你既然已经拉不到客了，为什么还不收工呢？

我猜你会回来。

为什么？

我知道这段路值七块钱！

# 工　人

○刘建超

公司派人找到郑伟时，郑伟正在河边钓鱼。

郑伟，快，工地急事，叫你去。

郑伟扔下手中的钓竿上了车，说，回家，换衣服。

来人说，工地有的是新工服，随你挑。

郑伟固执地说，回家，换衣服。

妻子见郑伟回来，问，鱼呢？答应给孩子炖汤喝啊。

郑伟不搭话，从屋里拿出个衣架，塑料布下罩着油腻腻的工作服。套上工作服，郑伟立马就精神起来。

妻子说，他下岗回来就不让洗这衣服。

工地有事，走了。郑伟潇洒地一挥手，上车。

公司游总也在查郑伟的资料：郑伟，男，1960 年生。1979 年入厂，高中毕业，五公司电焊工。出身工人家庭，父母均是本公司的退休工人。郑伟是父亲退休后顶替入厂的，入厂后一直在五分厂（现为第五工程公司）做电焊工。该职工是厂里的技术能手，每年都被评为先进工作者。已婚，妻子也是本厂职工，生有一女，取名焊花，现在大学读书。郑伟去年分流下岗在家。

游总说，情况太简单了。他有什么背景吗？

罗主任说，游总，您到公司的时间不长，郑伟的情况我还是有所耳闻的。总公司以前发过简报，介绍过郑伟的一些事，也挺有意思。1982 年，公司的一名职工得了肿瘤，住在咱公司的职工医院。医院治疗时，要把药物注射到肿瘤上，得用200 毫米长的针头，可是医院的注射针头最长才 70 毫米，买都没有地方买。正好，那天郑伟他们去医院看病友，听说了这件事。这小子也真行，拿了几个针头看看说，我来焊几个试试。他把几个针头拿到厂里，琢磨了半晌，用电焊枪把三个 70 毫米长的细细针头焊接在了一起，天衣无缝。市里的医院听说了，也来找郑伟帮忙焊接了几个专用的针头，还给公司送来了感谢信。我们因此才知道这事。那时郑伟进厂才几年，二十多岁，初生牛犊。

游总说，敢揽瓷器活，肯定手里有金刚钻。

是的，郑伟这小子爱钻研，听说学习焊接的笔记都记了十几本。公司职工技术评定，一般来说，还是要论资排辈的，毕竟老同志多，得有个照顾吧。可是郑伟这小子不愿意了，公开叫板，要和几个被评为高级能手的老师傅比试比试。老师傅也不憷他，就和他比试。这小子提出的是要把像香烟锡纸一样薄的不锈钢波纹管和一指厚的不锈钢法兰盘焊接在一起。咱都知道，那两样东西厚度相差大，焊接得使用专用设备。郑伟就用手工电弧焊完成了。当时轰动了全场。后来听说，有家民营企业高薪来挖他，他说，我的技术是厂里给培训出来的，我不能忘恩负义，给多少钱也不走。郑伟这小子有志气。

工程部来电话，正在安装的进口设备遇到了难题，工程受阻。游总急匆匆赶往现场，还不忘交代罗主任，再了解一下郑伟的情况。同学，老师，朋友，背景资料越详细越好。罗主任有些纳闷，游总刚来不久，对中层经理们也没有表现出啥热情，怎么关心郑伟啊。郑伟莫非真有啥背景？都说水深鱼大，林大藏虎，郑伟是不是要走运了啊？

工程现场一片忙碌。

总指挥十分焦急，游总，这套进口设备在安装中遇到了难题。SW 系列轮子需要加工的幅板间距小。可是，公司目前的工装设备只能加工一米以上的工件。我咨询了本市的好几个协作厂，都无法解决。如果到外地再购设备，少说也得三天，工期就得延后了。

游总眉毛一挑，我不管你遇到什么困难，工期一天也不能拖，拖一天就要损失几十万，你能负得起责任吗？

总指挥额头沁出了汗珠。

一名老工人说，总指挥，找五公司的郑伟来试试。

总指挥眉头紧锁，郑伟？郑伟是什么人？

老工人说，焊工。

你们不都是焊工吗？你们都解决不了，他行？

郑伟到达现场的情景很壮观。正是中午时光，整个工地都静下了，百十双眼睛注视着一身油腻腻、脸上还淌着汗水、瘦瘦高高的郑伟一步一步朝工地走来。

郑伟脸上没有任何表情，只是走到部件前仔细观察，翻看着连技术员都有些弄不明白的图纸。郑伟把几位老师傅叫到一起，把自己的想法说了一遍，又和几个人演示了一番。

总指挥听了郑伟的建议，说可行是可行，但是在不足一米的管道内焊接，别说技术难度大，就是里面的温度也会把人烘烤干的。

郑伟说，总指挥只要同意我们的方案，焊接的活儿，我来，保准没问题。

连续五个小时，郑伟除了喝了几瓶水，一直卧在工件上。最后是师傅把他拖出来的。

郑伟脸上挂着自信，说，解决了。

工地上一片欢呼。

游总握住郑伟的手说，郑伟，市里要引进一套流水线，去西欧考察组就给公司一个名额，点名要你去。了不起啊。

罗主任打来电话，说详细了解过了，郑伟没有啥背景，就是个普通的电焊工。

郑伟正擦着汗，红扑扑的脸膛朝阳一般灿烂。

# 危机处理

○孙道荣

星期天。杭州。一个名叫山水人家的小区。宁静的小区道路两旁，停满了私家车。谁也没有想到，平时停得好好的小车，瞬间惨遭毒手，被利器划得伤痕累累。

停在路边的几十辆小车，无一幸免。粗略估计，仅这些划伤的修理费，就需要四五万元。有人报警。愤怒的车主们发誓要揪出恶意划车的人。

小区的监控录像被调了出来，从监控录像上可以看出，是一大一小两个孩子干的，大一点的像个小学生，脚下还踩着滑板车；小的估计才上幼儿园。他们一路走一路划。这是谁家的孩子？胆子也忒大了！太没教养了！但监控看不太清，没人认识这两个孩子。

警方开始调查。网络和第二天的报纸上，都报道了这件事。

第二天下午，一位妇女给派出所打电话说，划伤汽车的是她的孩子。

那位妇女也住在那个小区。她是从网上看到小区车子被划伤的帖子，帖子中描述的两个孩子，大的很像她的孩子，而小的是她同学的孩子。当时，两个孩子下楼去玩。时间、地点、两个孩子的特征，都吻合。她赶紧跑到小区物业处，调看了监控录像，果然是她的孩子。

她意识到问题的严重性。冷静下来后，她是这样处理的——

给派出所打电话，毫不犹豫地告诉民警，车是自己的孩子划的，她将承担全部责任。

晚上，儿子放学回家。她问他，是不是你干的？儿子低着头不说话。她对儿子说，你是男子汉，是你做的，就要勇于担当。

儿子承认，是他干的。又问他，如果你的折叠车被人划伤了，你心不心疼？儿子说，心疼。她说，你的折叠车几百元就可以买到，而人家的车，一二十万，有的甚至上百万，你说会不会心疼？儿子向她连鞠了几个躬，说，妈妈，我错了！

打印了一份致歉信，向所有被划伤车的车主表达歉意，并表示承担全部责任和修理费用。致歉信复印了几十份，张贴在小区所有的出入口和楼梯口。

联系了一家信誉很好的汽车修理厂，负责修理所有被孩子划伤的汽车。

第二天、第三天，连续两个晚上，等儿子做完作业，她领着孩子，挨家挨户登门道歉。她要求，门铃都由儿子自己来摁。这是让儿子面对错误的第一步。

儿子在课余折叠了很多张纸船，上面都醒目地写着“对不起”三个大字，他要将这些船作为礼物，送给车主们。每到一家，孩子一进门就说：“对不起，我不知道划车的后果这么严重，请你们原谅我。”所有的车主都表示，原谅孩子。

这位母亲对儿子说，叔叔阿姨都很宽容，原谅了你。但是，你要记住，千万不要把别人的宽容当成自己犯错的借口，你要敢于担当，知道什么叫责任心，学会感恩。

一位当事的车主说，孩子的妈妈这么做，我很佩服。说句实话，遇到这样的事情，不是每个家长都能处理得这么及时、这么果断。

这位母亲，非常了不起。

# 小问题

○巩高峰

在顺河边的几块大石头上，这一群战无不胜的将士，却从来没有面临过如此严峻的形势。

当然不是因为第二天就要开学了，他们愿意开学，甚至盼着。

他们刚刚分析讨论过一个问题，讨论最激烈的时候场面一度失控，谁也听不见谁在说什么，最后没办法，排队叫号，挨个说。说完了，大家集体闭嘴了，不知道再张开嘴该说什么。从春到夏从秋到冬，这帮家伙在方圆几里地的村子对垒中冲锋陷阵，斗鸡、打卡、跳房子、扔瓦片、滚铁环、比弹弓，什么时候输过啊，现在完了，都被一个大人眼里的小问题打倒：自己是从哪里来的?

昨晚每个人回家后都问过父母了，今天一汇总，答案五花八门：别人给的，河边捡的，老树杈上掉下来的，刨地刨出来的，在树跟上摔鞋壳从鸟窝里震下来的，走亲戚时路边碰见的，河里洗菜时顺手捞上来的，家里小狗从外面叼回来的，别人欠钱抵债送来的，到鸡窝里拾鸡蛋时碰破了壳跳出来的……最倒霉的是柳颜儿，他妈说他是赶集时从街上的垃圾堆里拾到的——谁不知道顺河街上的垃圾堆又臭又脏，连狗都不去寻食。最幸运的是黑丫，她是她妈从胳肢窝里生出来的，她妈的胳肢窝里现在还有一条长疤。

问题严重啊!

就在昨天，他们还都理所当然地认定自己是父母亲生的，尽管他们从哪里生、怎么生的从没计较过，可怎么能是捡来的呢？现在可好，除了黑丫，没一个是亲生的，难怪父母动起手来收拾那么随便，敢情是因为不是自己身上掉下来的肉。就算黑丫是她妈亲生的又怎么样，谁不知道她妈那胳肢窝有味，特别是夏天，离老远就得躲着走。从那么味儿的地方生出来，这亲生的也没啥光荣的！

大家都慌得手脚没处放。上树掏鸟窝？没劲。捉迷藏？没心情。下河摸鱼？没心思。偷几个西瓜？没那个闲情。就连最爱的去挑衅别村将士来一场斗鸡大战都毫无兴趣。

这可怎么办啊？

去找各自的亲爹亲妈？那现在的父母也不能告诉亲爹亲妈在哪里啊。再说了，就是他们肯说，可他们大部分都是捡来的，谁知道亲爹亲妈是谁呢？

这个傍晚，顺河村从来没有过这般宁静，村里平和得连大人们都不习惯了，平日里闹得鸡飞狗跳，不从中逮几个小头头来收拾一顿就一刻也不得安宁。可这个傍晚，各家的牛没有牵出去啃草，各家的猪没有最鲜嫩的猪草及时堵住哼唧哼唧要食的嘴，各家的狗没满世界撒野而是歪着脑袋在小主人身后杵着，各家的孩子以前天不黑透见不着人影，现在却都早早回院子里了，一进门不是叫饿，而是独自发呆，无精打采。

明天可就要开学了啊，怎么突然都蔫儿了呢？什么事儿啊？

纳凉的大人们在村头的大树下一合计，琢磨出来了，头天晚上这帮兔崽子无一例外问了个相同的问题：自己从哪儿来的。这事能说吗？听说老师们上课都不说。说得清楚吗？

可是这帮霜打的茄子，苗头不对啊。

再一商量，得，摸黑把老师请来吧。可不能大意了，这帮孩子，平日里就能把村子翻过来卷过去地闹，这要是心里疙瘩一结，没准憋屈出什么事儿来呢。

就算提前一晚开学吧，上个预习课。

老师的教具带得很齐，器官图，模型，《生理卫生》课本，甚至还有一块手提小黑板。

大人们统统避让，只有老师和学生，疑问和解惑。

于是，新鲜陌生的词语一串一串来了：男男女女，精子卵子，十月怀胎，一朝分娩……哦，原来自己竟然是由蝌蚪一点一点变的；原来每个人都是妈身上掉下来的肉，原来每个人都是头下脚上地来到这个世界……

黑丫她妈简直是个骗人精，胳肢窝又不是子宫，怎么能生黑丫呢，不过是个失败的腋臭手术疤痕……可是，又有谁的爹妈没有撒谎呢？这帮大人啊，说瞎话说顺了嘴，编故事编成了习惯，难怪没有人愿意跟大人们玩儿，太没意思了！

老师临走时被大人们团团围住，面对七嘴八舌的担忧，老师只能讪讪地笑着说，该讲的我都讲了，能讲的我也都讲了，这帮孩子……老师摇摇头，走了。

世界难道真是变啦，一帮孩子，胎毛还没褪净，忽然对这些大人的问题这么感兴趣，这可怎么得了。那明天要请医生来吗？还是像电视上说的，去县城找那个什么心理专家？

只能是一夜无眠啊！

第二天醒来，孩子们竟然早早就各自换上了最喜欢的新衣服，嚷嚷着要吃饭，昨晚上没心思吃，这个早晨他们简直要把锅也吞下去！

看着孩子三五一伙地聚集着，对比新书包，展示着新球鞋，大人们揉了揉发红的眼睛，疑惑着问，昨晚老师的课给你们上得怎么样啊？

得到的回应是讥诮：跟你说你也不懂！

说完，他们什么也没发生过一般，笑闹着跑远了，留下大人们一张张惊讶的大嘴。